イノベーション

世界を変える発想を創りだす

INNOVATION
A Very Short Introduction

Mark Dodgson
and
David Gann

マーク・ドジソン＋デビッド・ガン

島添順子 訳

白水社

イノベーション——世界を変える発想を創りだす

装幀＝コバヤシタケシ

シェリダンとアンへ

目次

本書に寄せて 9
はじめに 11
第1章 ジョサイア・ウェッジウッド 15
もっとも偉大なイノベータ
第2章 ヨーゼフ・シュンペーター 29
「創造的破壊」の旋風

第3章　ロンドンの「横揺れ」橋　57
失敗からの学び
第4章　ステファニー・クオレクの新たな合成繊維　73
研究室から経済成長への道のり
第5章　トーマス・エジソン　111
組織化の天才
第6章　未来を革新するということ　157

訳者あとがき　185
図版出典　xiii
文献案内　xi
参考文献　vii
索　引　i

凡例

一、本書は、Mark Dodgson and David Gann, *Innovation: A Very Short Introduction*, Second edition（Oxford: Oxford University Press, 2018）の全訳である。

一、訳文中の（　）、［　］、——は原則、原著者によるものである。

一、原文中の引用符（クォーテーション）は「　」で括った。

一、原文中のイタリック体で記された箇所には、原則として傍点を付した。

一、訳者による補足および簡単な訳注は、すべて〔　〕で括って挿入した。

一、原著で引用されている文献のうち既訳のあるものは、わかる範囲で書誌情報を併記した。また、訳出にあたっては、一部は既訳を参照したが、訳文については必ずしもそれに拠らない。

一、索引は原著に則って作成したが、一部、訳者のほうで整理した箇所がある。

本書に寄せて

姓は異なりますが、マーク・ドジソンと私は兄弟です。彼のことも彼の欠点も、ずっと見てきました。このような本を、デビッド・ガンとともに彼がどのように執筆することができたのかはわからないのですが、ここにその本があり、しかもとても良い本です。

本書は魅力的な物語を伝えており、この物語の重要性は増し続けています。科学の世界でも芸術の世界でも、革新を起こす能力は期待されており、その価値を高めています。本書によって、ビジネス分野でのイノベーション能力の重要性、そして個々人が持つイノベーションの才能や先見性のある企業のイノベーション戦略によって、私たちの生活がどれほど大きく変えられているか、変わり続けていくのか、私たちは知ることになります。本書には、産業界で職業人として働く人びとのみならず、世界がどのように運営されているのか知的な関心を持つ人であれば誰であっても、魅了される多くのものがあります。

——フィリップ・プルマン

人間の創意工夫する力によって動いていくイノベーションが、万人にとってより持続可能で公正な未来を創りだす鍵なのです。

——ユニリーバ最高経営責任者　ポール・ポルマン

はじめに

　私たちが生まれたのはさほど遠い昔ではないのだが、情報技術もテレビの放映会社もなく、空の旅は珍しくて贅沢なものだった。私たちの両親はさらに異なる世界に生まれ、そこではテレビの発明はまだこれからであり、ペニシリンも冷凍食品もなかった。私たちの祖父母が生まれたときには、内燃機関も、航空機も、映画も、ラジオもなかった。曾祖父母にいたっては、電球も、車も、電話も、自転車も、冷蔵庫も、タイプライターもない世界に生きており、おそらく彼らの生活は、今日の私たちよりもローマ時代の農民と共通点が多かった。一五〇〇年という比較的、短期間に、家庭であれ職場であれ、新製品やサービスが私たちの生活を完全に変えたのだ。世界がなぜ、これほど大きく変わったのか、この理由の多くはイノベーションによって説明することができる。

本書『イノベーション』では、イノベーションを成功裡に応用されたアイディアと定義し、なぜ、イノベーションにそれほど大きな影響力があるのかを説明している。本書はイノベーションがどのようにして起こり、何によって、誰によって促進され、どのように追求され組織化され、そしてプラスであれマイナスであれ、その結果は何であるのかを描いている。イノベーションは社会や経済の発展に必須であるが、非常に困難で失敗がつきまとうことも論じる。イノベーションにはなぜ、多くの関係者がおり、異なる形態があり、そのためにより複雑になるのかを描きだす。イノベーションのプロセスを分析し、組織がイノベーションのためにリソースを集める方策や、イノベーションの最終的な結果が多様な形態をとることを説明する。

イノベーションは組織による活動にかぎらず、その実施法にもみられる。イノベーション・プロセスは現在、変革期にあり、その大部分が新たなデジタル技術の活用によって進んでいる。イノベーションの源泉が持つ潜在力も、急速に成長している。たとえば今日、過去の歴史をすべて合わせたよりも多くの科学者と技術者が存在する。さらには、経済においてサービス部門が支配的となり、知識の所有や入手が物理的な資産と比較してもその価値を増すにつれ、イノベーションの中心地も変化している。イノベーションはより国際的になり、中国やインドに、また欧米や日本といった工業先進国とは異なる場所に、重要かつ新たな源泉が生まれている。本書の筆者は、過去一世紀あまりのあいだに培われたイノベーションについての理解が、未来のグローバル経済において目撃されるだろうたゆまぬ変革と、とどまることを知らない混乱を説明するために、どの程度使えるのかについても探求している。

最初の三章では、イノベーションとは何か、そしてその重要性と結果が説明されている。続く各章では、イノベーションに寄与した人びと、イノベーションがどのように組織化されるかについて調べ、イノベーションの未来について考察している。

イノベーションに関する筆者の理解は、世界中にある無数の革新的な組織に関する自身の研究と、世界のイノベーション研究コミュニティに属する膨大な数の研究者がおこなってきた取り組みによる蓄積から、学んだ内容によるものだ。私たちの旅路をこれほど興奮に満ち幸福なものとしてくれた、それらすべてのイノベータたちとイノベーション研究者に、厚くお礼を申しあげたい。筆者がとくに謝意を表するのは、アービン・ウラドウスキー・バーガーとジェラルド・フェアトラフであり、この二名の偉大なイノベータは私たちの思考に深遠な影響を与えてくれた。

イノベーションとは変化であり、したがってこの第二版においては、今日、興味をかき立てられる問題と、第一版の執筆時には存在していなかったり、その価値が低く考えられていた問題について調べた。変化のいくつかは、非常に急速に起こった。たとえばスマートフォンが登場したのはまだ二〇一〇年のことだが、二〇二〇年には三〇億人が利用しているだろうと推定されている。筆者が説明する新技術のなかにも、非常に短いあいだにイノベーションによって大きく影響されたものがある。機械学習についての諸々は、最近までサイエンス・フィクションの領域にしか存在していなかったし、データの利用が雪崩を打つように可能となったことが、現在、多くのイノベーションを加速させていている。シェアリング経済や電気自動車といった分野における企業の発展が、前例のない速度で起こっている。eコマース分野では二〇年のあいだに、アマゾンがスタートアップ企業から一〇〇〇億ドルを超える年間売上を持つ企業へと成長を遂げた。中国やインドといった国々が持つイノベーションへの情熱は予見されていたが、その巨大な規模と国策、組織戦略、そして個人的な野心との一体化のありようは、まったく新しいものだ。これらの変化によって筆者は、イノベーションについて過去から得られる最良の洞察とイノベーションの今日的な性質について読者に知らせたい、そして未来においてイノベーションがどのようになるのか考察したいとの意図を抱くにいたったのである。

第1章　ジョサイア・ウェッジウッド
もっとも偉大なイノベータ

　イノベータが何を考え行動するのか、その多くを語ってくれるある人物、つまりイノベータの典型例について学ぶことからはじめよう。その人物は製品そのもの、その製造法、そして自身と顧客に価値をもたらす方法を根本的に革新し、息の長い有名企業を設立した。国家のインフラ建設に多大な貢献をし、活力ある地域産業の創出を支援し、輸出向けの新たな市場を開拓し、政府の政策に良い影響を与えた。マーケティングの天才であり、工業デザインにまったく新しいアプローチをすることで、科学と芸術の両コミュニティに橋を架けた。彼のもっとも重要な貢献は、自身が暮らしていた社会において生活と労働の質を向上させたその方法にある。その人物とはジョサイア・ウェッジウッド、陶工だ（一七三〇～九五年、図版1）。

図版1　ジョサイア・ウェッジウッド，もっとも偉大なイノベータ。

スタッフォードシャーの陶工の家庭というつましい環境に生まれたウェッジウッドは、一三人の子どもたちの末っ子で、幼いころに父を亡くした。一一歳で陶工として働かされることになったが、幼少時にかかったひどい天然痘が彼の人生に大きな影響を与えていた。ウィリアム・グラッドストンが述べているように、その病は「彼を内省的にし、自身が携わる芸術の原則や独特の手法について熟考させ……それが彼の探求、探索、熟慮、創造に満ちた知性という託宣をもたらすことになった」。ウェッジウッドはキャリアの序盤に多くの共同事業者と働き、陶器の製造と販売の各方面を学んだ。二九歳で自身のビジネスをはじめるころには、陶器産業のすべての側面に熟達していた。

三〇代半ばになったころ、天然痘に起因する歩行困難のために行動がひどく不自由となったウェッジウッドは、片足を切断した。消毒薬も麻酔も、もちろんなかったのだが、彼の活力と気力を証明するかのように二、三日のうちには複数の手紙をしたためている。二、三週間後には子どもの一人を不幸にも亡くしたが、葬儀の一か月後には仕事に復帰している。

一八世紀中ごろまでには、ヨーロッパの陶器業界はすでに約二〇〇年にわたって中国からの輸入品に支配されていた。一〇〇〇年ほど早く発明された中国製陶器は、原料や釉薬において追随不可能な品質を実現していた。その陶器は資産家には非常に珍重されていたが、同じ時期に起きた産業革命によって収入や欲求を高め、数も増え続けていた中産階級には高価すぎるものだった。中国の生産者による貿易規制が、英国に輸入される陶器の価格をさらにつり上げていたのだ。魅力的で手の届く価格帯の陶器を、大量消費市場に供給するというイノベーションのために、状況が熟していた。

ウェッジウッドは製品のイノベータであって、使用する原料や釉薬、色彩、そして陶器のデザイン様式における新奇性を常に模索していた。不純物を取り除き、焼き上がった状態についての予見性を高めて品質を継続的に向上するため、広範な実験で試行錯誤を重ねた。彼は座右の銘として、「実験に敵うものはない」を好んだ。イノベーションのいくつかは、すでにあった製品に少しずつ改善を加えることで生まれた。当時、業界で新たに開発されつつあったクリーム色の土器を精製して、高品質なセラミックへと変えたのだが、これはろくろでの成形、旋盤による切削、また鋳込みも可能な、きわめて使い勝手の良いものだった。ジョージ三世の妻であるシャーロット女王のために正餐用食器類を一式、作製した後、その許可を得て、ウェッジウッドはこのイノベーションを「クイーンズ・ウェア」と名づけた。ほかのイノベーションは、より抜本的なものだった。一七七五年、記録に残るだけでも五〇〇〇回の、しばしば困難で高価な実験の後、ファイン・セラミクスの一種で、その多くは青い色をしたジャスパーを製造した。それは磁器の発明以来、もっとも重大なイノベーションのひとつだった。彼がイノベーションをおこなった主要な製品の数々は、二〇〇年以上の後もウェッジウッド社によって製造され続けている。

彼は製品をデザインするにあたり、数多の芸術家や建築家と協力したが、そのなかには家具職人であるジョージ・ヘッペルホワイト、建築家ロバート・アダム、芸術家ジョージ・スタッブスがいる。ウェッジウッドが成し遂げた最大の功績のひとつは、デザインを何気ない日常へと持ち込んだことだ。高名な彫刻家ジョン・フラックスマンは、たとえば、インク壺、燭台、印章、カップ、ティーポットを製作している。以前は味気なかった製品が、エレガントなものへと変化したのだ。

ウェッジウッドは、デザインのアイディアを顧客から友人、競合相手まであらゆる方面に求めた。博物館や邸宅を訪ね、骨董店を隅々まで探した。デザインの貴重な供給源のひとつとなったのは、上流の婦人たちからなるアマチュア芸術家の同人だった。一九世紀にウェッジウッドの伝記を記したルウェリン・ジュウィットは、芸術家とともに働くというウェッジウッドの取り組みが成功した一端は、「芸術家の好みと腕を、他者が持つ才能とぶつけ合うことで磨きあげる」という真剣な試みにあったと述べている。

ウェッジウッドが他界してから一世代の後、ウィリアム・グラッドストンはスピーチのなかで、この陶工について次のように語っている。

ウェッジウッドのもっとも特筆すべき、そして独特の美点は……われわれが産業芸術と呼ぶもの、つまり、より洗練された芸術を工業へ応用するにあたり、その真の法則を確固として、そして完全に認識していたことである。この法則がわれわれに求めるのは、あらゆる物品に対してまず、その目的への適合性と利便性を最大限可能な具合で与えること、次いでその物品に最大限の美しさを宿すことにより、その物品の美しさを適合性、利便性と融和させることである。これは、主目的と二次的な目的を置き換えるものではなく、これらを調和させる探究を仕事の一部として考えるということだ。

製造工程の革新においては、ウェッジウッドは工場の動力に蒸気を導入し、その結果、スタッフォードシャーの製陶業界は、この新技術をもっとも早く利用することになった。蒸気動力は、製造工程に多くの変化を起こした。原料を混ぜ、砕く動力源のある工場は以前、陶工から遠くに位置していたため、動力を現場に置くことは輸送費を大きく減少させた。また、以前は蹴ろくろ、手回しろくろを使っていた成形、細工の工程が機械化された。製品を整形したり、溝を彫ったり、市松模様をつけたりする際に旋盤を利用し、製造過程における処理量が向上するというかたちで、技術が効率性を高めたのだ。

ウェッジウッドは品質に非常なこだわりを持ち、窯の性能を上げるための取り壊しや建て直しに多額の経費を使った。劣悪な品質の陶器を決して許さなかったことは有名で、工場内をうろつきながら規格外の陶器を叩きつけ、そのような製品を生んだ作業台に「ジョサイア・ウェッジウッドにこれは通用しない」と、チョークで書き綴ったと語り伝えられている。

陶器の製造において長いあいだ繰り返されてきた問題のひとつは、製作過程を制御するために窯の高温をどう計るかだった。ウェッジウッドは、この温度を記録する温度計、パイロメータを発明し、この功績により一七八三年に王立協会のフェローに選任された。

人気の高いウェッジウッド製品の多くは、単純な形のままで大量生産された後、デザイナーが流行に従って装飾をほどこした。さらに特殊技術を要するほかの製品は少量ずつ、いろいろと形を変えたバッチで製造され、市場の状況に従って色、型、様式、価格を迅速に変えた。ウェッジウッドは在庫を減らすため、いくつかの製品の製造と彫りを下請けに出した。発注が製造能力を上回った場合は、ほかの陶工に外注した。彼が製造システムを革新した狙いは、在庫リスクの最小化と固定費用の削減だった。ウェッジウッドはコスト意識が非常に高く、ひところは、売上は最高だったが利益は最小だったと文句を言っていたほどだった。コスト構造を研究して規模の経済性を重視するようになり、「少なくとも同様の物を、最初からもういちど作るためのもっと体系的な方法がわかるまで」、単発の製品として壺を製作することは避ける努力をしていた。

ウェッジウッドは、仕事を組織化する方法についても革新をおこなった。彼は、小作農業が本質的にそうであるような、原初的な労働慣行で動いていた業界に組織の革新を持ち込んだ。スタッフォードシャー州の主要工場をエトルリアに設立した際、ウェッジウッドは同時代人のアダム・スミスが支持していた分業制を適用した。労働者一人が一つの製品全体を作るという従来の工芸品的な製造法を置き換え、専門家たちが製造過程のある特定箇所に集中することで効率を上げたのだ。芸術家がデザインの質を高められるようになるなど、製品の技巧は増し、イノベーションが花開いた。彼がもっとも誇らしげに自慢したことのひとつは、「単なる人びとから芸術家の集団を作った」ことだった。

ウェッジウッドは地域の平均よりもほんの少し高い賃金を払い、訓練や技能の向上に広く投資した。その見返りとして時間に正確であることを求め、労働者を招集する鐘や原始的な打刻システム、固定勤務制、中抜けの禁止を導入したほか、高い水準の気配りと清潔さ、無駄の回避、飲酒の禁止を求めた。彼は健康と安全の問題を意識しており、常に存在する鉛中毒の危険についてはことさらだった。このため適切な洗浄法、服装、洗浄施設の重要性を強調していた。

ビジネスのイノベータとしてのウェッジウッドは、外部の関係者に多くの点で働きかけることにより価値を創りだした。供給源や販売網を革新し、私的またビジネス上の共同事業者を巧みに活用し、マーケティングや小売の手法に驚くほど多数のイノベーションをもたらした。

ウェッジウッドは、見つけられるところならばどこからでも、最高品質の原料を求めた。今日で言えば「グローバル・ソーシング」であるが、チェロキー族の居留地で取り引きをおこなった米国のほか、中国や、オーストラリアの新たに開かれた植民先から粘土を購入した。

ウェッジウッドには非常に広範囲にさまざまな関心を持つ友人たちがおり、彼らはビジネス上の取引相手にもなった。ウェッジウッドは志向を同じくする博識家の集団に属しており、満月に会合を開くことから、「ルナー・メン」として知られていた。ウェッジウッドに加え、そのグループの中核はエラズマス・ダーウィン、マシュー・ボールトン、ジェームズ・ワット、そしてジョセフ・プリーストリーから構成されていた。ボールトンとの友情とビジネス上のパートナーシップは、バーミンガムで蒸気機関を製造していたボールトンとワットの工場の効率性、生産性、そして収益性をみるにつけ、ウェッジウッドの労働組織についての考え方に大きく影響した。「ルナー・メン」に関するジェニー・アグロウの書籍は、彼らがその時代、科学、産業、芸術のほぼすべての活動において最先端を歩んでいたと論じている。アグロウは当時を想起させつつ、次のように提唱している。「ルナー・メンの時代、科学と芸術は未分化であり、人は発明家であると同時にデザイナー、実験者であるとともに詩人、夢想家であって起業家、同時にこれらすべてでいることができた」。

知的財産権を所有することついてどこかしら矛盾した意見を持ってはいたが、ウェッジウッドは研究協力を奨励しており、今日でいう「オープン・イノベーション」の主唱者だった。一七七五年、彼はスタッフォードシャーの陶工の仲間たちとともに、頻発する技術的問題を解決するための協力プログラムを提案した。その計画は、世界初の共同産業研究プロジェクトとでもいうべきものだった。この構想が実際に走りだすことはなかったのだが、これが示しているのは、以降、一世紀以上も経てからあらためて検討の対象となる組織形態を、ウェッジウッドが活用したいと望んでいた点だ。

ウェッジウッドは、自身の陶器に名前を刻んでデザインの所有権を示した業界初の人物でもあったが、特許は毛嫌いしており一つしか所有していなかった。自身について語った際、ウェッジウッドはその姿勢を次のように説明している。

ウェッジウッド氏がクイーンズ・ウェアの作成法を発見したとき……この重要な発見の特許を求めなかった。特許が、公におけるその有用性を著しく制限するからだ。クイーンズ・ウェアを製造する一〇〇の業者の代わりに、一つの製造者のみとなってしまっただろう。世界の随所へ輸出される代わりに、ほんのいくつかの可愛らしい品が、流行に敏感な英国の上流の人びとを楽しませるために作られるのみとなっただろう。

産業革命は、楽観主義が蔓延するとともに社会が大きく変動している時代だった。産業労働者に賃金が支払われるようになり、新しいビジネスがまったく新たな富の源を創りだすにつれ、消費や生活様式のパターンが変化した。英国の人口は、一七〇〇年には約五〇〇万だったが、一八〇〇年には一〇〇〇万へと倍増した。一八世紀になるまで英国の陶器は機能一辺倒なもので、そのおおかたは貯蔵や運搬に使われるために粗造された容器だった。壺はおおざっぱに作られており、飾りつけは簡単で釉掛けも不完全だった。一八世紀を通じて、この市場が規模、洗練度とも発展した。洗練された食器セットが、急速に成長する産業都市やますます豊かになっていく植民地で大量に求められるようになった。それまで英国の伝統的な余暇といえばビールを飲むことだったが、紅茶、よりおしゃれなコーヒーやココアを嗜むことが、その国民性に加わった。

ウェッジウッドは、このような伸び盛りの需要を多くの方法で満たし、また形づくろうとした。当初は完成品を商人へ卸して再販させていたが、ロンドンに倉庫、次いでショールームを置き、そこで直接、注文を取るようになった。客は展示された陶器をめぐりながら感想を語り、ウェッジウッドは、品質が不均一だという批判に特段の注意を払うと同時に、均質性を向上させる方法の探究に打ち込んでいると説明した。ウェッジウッドの親友、トーマス・ベントレーが運営していたショールームは、流行に敏感な人びとを見かける場所となり、主要な新コレクションについては王侯貴族も訪れた。ベントレーは新しいトレンドや好みを非常に巧みに解釈し、スタッフォードシャーでデザインや製造について立案する際に役立つ情報をもたらした。

ウェッジウッドは政治家や貴族の支援を熱心に求め、それらを自身の「ライン、チャネル、コネクション」と呼んだ。ロシアの女帝エカテリーナのために九五二ピースからなる正餐用食器類を製造し、恥じることなく彼女の支援を宣伝に使った。彼は、要人たちが自分の製品を購入すれば、新興中産階級、商人、専門職業人、また比較的豊かな下層階級や芸術家、手工業者もそれに倣おうとするだろうとみていた。

ウェッジウッドとベントレーは、小売の手法について驚嘆すべき数のイノベーションをおこなった。そのなかには正餐用食器類一式の展示、セルフサービス、カタログ、見本集、無料配送、返金つき保証、訪問販売員、定期販売があるが、それらすべては「ご婦人方を楽しませる、気を逸らさせる、嬉しがらせる、感嘆させる、いや、それに加えてうっとりさせる」ことが狙いだった。ジェーン・オースティンは、ウェッジウッドの注文品が無事に届いた喜びを書き記している。

ウェッジウッドは、海外マーケティングにおいても画期的な試みを重ねた。彼が起業した当時、スタッフォードシャーの製陶業者がロンドンへ出ていくことはまれだったが、海外についてはなおさらだった。国際市場で販売するため、ここでも英国貴族とのコネクションを広告塔として使い、王族の支持を集める戦略を用いた。一七八〇年代半ばになるころには、ウェッジウッドの全生産量の八〇パーセントが輸出されていた。

これらの製品は、安価であるために売れていたのではない。それらは、競合他社のものと比較して二〜三倍も高価になることもあった。ウェッジウッド曰く、「私が常に意図してきたのは、自身が製造する一品一品の価格を下げるよりもむしろ、その品質を高めることだ」。彼は製陶業界で起きていた低価格化を軽蔑しており、一七七一年にベントレーに宛てた手紙で次のように書いている。

個人商店の商法では、破滅へ向かって最速で進むようなものだ……低価格が品質低下につながり、それにより蔑まれ、放棄され、使われなくなり、そして商いに終焉がやってくる。

ウェッジウッドは、ほかの分野においても多数のイノベーションを起こした。彼自身の、そして業界全体の製品について、その製造と流通を支えるインフラを多くの力を投じて建造した。非常に多くの時間と資金をかけて、とくに原料の供給地であり市場までの経路ともなる、港との連絡手段や輸送法を改善したのだ。有料道路の敷設を推進し、主要な運河の建設に中心的な役割で参画した。貿易産業政策について政府に活発な陳情をおこない、初の英国製造業会議所の設立を助けた。

ウェッジウッドが残したものは、その会社を超えて大きく広がっている。より広範なスタッフォードシャーの製陶業に絶大な影響を与えたが、それは今日、革新的な「産業クラスター」とでも呼びうるものだった。スタッフォードシャーの製陶は、スポードやターナーといった多くの企業の努力により急速に発展したが、ウェッジウッドは業界が認めるリーダーだった。

一九世紀に彼の伝記を執筆したサミュエル・スマイルズは、ウェッジウッドによるイノベーションが「貧しくみすぼらしい村々」に起こした変化について、こう記した。

一七六〇年には、仕事も満足になくまともに給金も得られない、七〇〇〇人ほどがわずかに住んでいただけの半ば荒廃したような地域が、二五年そこそこのあいだに人口は三倍になり、雇用先も多く、豊かに、そして生活も快適になっていった。

ウェッジウッドは社員の教育、医療、食事、住居を改善するなど、人びとの生活面にも貢献した。エトルリアに造られた七六軒の住まいは当時、モデル村とみられていた。

ウェッジウッドは王朝を築きあげた。父親から遺産として二〇ポンドを受け継いだが、ウェッジウッドが死去したときには、五〇万ポンド（今日の価値で約五〇〇〇万ポンド）もの私財を持つ、英国で最高峰の企業体のひとつを残していた。ウェッジウッドの子どもたちもまた、その幸運を活かした。息子のひとりは王立園芸協会を創立し、もうひとりは写真技術の発展に主要な貢献をした。

ウェッジウッドの資産は彼の孫、チャールズ・ダーウィンによる研究の財源ともなり、その成功にも大きく役立った。

ウェッジウッドの事例は、これから本書でみていく重要な問題の多くを示すとともに、イノベーションに対して本書がどのようにアプローチしていくのか、明らかにしてくれる。私たちは組織、つまりイノベーションを創出し提供するメカニズムに傾注する。個々人や彼らの私的なつながりが重要なことはウェッジウッドの事例でも大いに明らかだが、それらについては、組織としての成果に役立つものに限って論じる。イノベーションが、私たちの一人ひとりに何を意味するのかは議論しない。イノベーションのユーザーとしての観点も用いないが、イノベーションがどのように、どういった目的で使われるか理解しようと努めることが、革新的な組織にとって必要である点は議論する。これらの点を踏まえたうえで、ウェッジウッドが示しているのは、イノベーションがさまざまな形態や方法で起こるということだ。イノベーションは、組織が創りだすもの、つまりその製品やサービスに起こる。組織がそれらを作る方法にも、イノベーションが見つかる。つまり、製造工程やシステム、仕事の構造や慣例、供給の仕組み、共同事業者との協力、そして非常に重要である顧客とコミュニケーションをとりコンタクトする方法のなかに、イノベーションが存在する。また、地域ネットワーク、企業活動を支えるインフラ、政府の政策など、組織の運営を取り巻く状況についても、イノベーションは生じる。

ウェッジウッドの事例が明らかにしたのは、イノベーションについて決して色あせることのない一つの真実、つまりイノベーションにはアイディア、知識、スキル、そしてリソースの新たな組み合わせが不可欠ということだ。彼は、自身の時代に起きていた科学、技術、そして芸術における劇的な進歩を、急速に変化する顧客の要求と結びつける達人だった。グラッドストンが言うように、「ウェッジウッドは、芸術と産業を混ぜ合わせるという重要な仕事に対し、常に己の力を注いだ点で、いかなる時代またいかなる国においても、もっとも偉大な人物だった」。ウェッジウッドが私たちにもたらしたもっとも深い教えは、技術上の機会を市場機会と、芸術を製造業と、創造性を商業と融合した、その方法にあるといえるだろう。

第2章　ヨーゼフ・シュンペーター

「創造的破壊」の旋風

　経済や社会の進歩が結局のところ、すべて新しいアイディアによって起こるのは、変革と改善の可能性が現状に対する内向きな視点や無為と競い合うためだ。イノベーションは、新しい考えが組織にうまく導入され、価値を発揮した場合に生じる。それは、新たなアイディアの創出と応用を、公的に組織し運営する活動だ。イノベーションには実現すべき、そして実行すべき新しいアイディアについての慎重な準備、目標設定、効果の設計などがともなう。それはまた実験と学びがもたらす興奮が、限られた予算、確立された物事の進め方、優先順位をめぐる意見の相違、制約された想像力といった、いつもの現実と交錯する劇場でもある。

　イノベーションを理解するには非常に多くの方法があり、豊かな知見や視点を広範に得ることができる。異なる分析レンズのなかからどれを用いるかは、研究対象となるイノベーションの問題に合わせて決まる。ある人びとは、イノベーションの規模や性質、つまり変化が漸進的なものか急激なのか、既存の手法を保持するのか覆すのか、またシステム全体に及ぶのか部分にとどまるのかについて、詳しくみている。ほかの分析ではイノベーションにおける焦点が経過とともに変わっていく様子に関心をおいており、つまり新製品の開発から製造、普及パターン、携帯電話やオンライン・バンキングなどの特定の設計形状がどのように市場を支配していくか、そしてイノベーションから貨幣価値がどのように生みだされるかという過程を対象としている。

イノベーションの定義

イノベーションの比較的、簡単な定義は「応用に成功したアイディア」であり、イノベーションとアイディアが応用される前段階における貴重な貢献、つまり発明や創造とを容易に区別できる。しかしこの定義は依然、とても広い意味を持つことから多種多様な活動を便利に含めることができてしまい、有用であるのと同じ理由で混乱を呼ぶ。イノベーションという言葉を、無原則に使えてしまうのだ。右の直截的な定義ですら、疑問を呼ぶ。「成功」とは何か? これには時間経過も大きく影響し、最初は成功したイノベーションが最終的には失敗することもあるし、その逆も起こりうる。「応用」とは何を示すのか? 単に組織の一部で応用されることか、それとも国際的に、大規模なユーザーのあいだで普及することだろうか。とくに、新旧の考え方を結合してさえいれば、誰もがこれらを実現したと主張できるのか？

イノベーションの類型についても、境界が曖昧でありカテゴリ自体が重なることから難しさがある。イノベーションは、新しい自動車や薬剤といった製品に起こる。サービスであれば、保険の新制度や健康管理などの例がある。しかし多くのサービス企業は、自身が提供するものを新たな金融商品などの製品として言い表す。イノベーションは、新たな製品やサービスがもたらされる方法といった運用の工程においても生じる。これらの工程が機器や機械のかたちをとれば、その供給者にとっては製品であるし、輸送というかたちでのロジスティクスであれば、供給者にとってはサービスとなる。

イノベーションのレベルについて考える際も、その定義には同様の問題がいくつか存在する。ある組織にとって些少なイノベーションは、ほかの組織にとっては大規模なものかもしれない。組織は自身の革新性を独自の状況から判断するため、〔イノベーションの〕異なるカテゴリに境界線を引くことは、現実には難しいのだ。

ほとんどのイノベーションは漸進的な改善であり、既存の製品やサービスを新しいモデルとするため、または組織プロセスの調節のためにアイディアが用いられる。これらのイノベーションでは、特定のソフトウェア・パッケージの最新版が対象であったり、マーケティング部から開発チームへ担当者を動かす決定をおこなったりする。急激なイノベーションでは、製品、サービス、工程の性質が変わる。その例として、防水性、防風性に加えて透湿性を備えたゴアテックス繊維のような合成素材の開発や、新サービスのコミュニティ形成を促すために、プロプライエタリ〔特許や商標により使用を制限すること〕に代わってオープンソース・ソフトウェアを使用する決定などがある。最上位には、よりまれで断続的、変革的なイノベーションがあるが、それらは革命的なインパクトを持ち経済全体に影響を与える。エネルギー源としての石油や太陽光発電、あるいはコンピュータやインターネットの開発などが該当するだろう。

本書の筆者は、イノベーションを組織的な成果やプロセスへ成功裡に応用されたアイディアと考える。イノベーションは実用的なものとも機能的なものとも考えられ、その成果は新製品やサービスであったり、研究開発（R&D）、エンジニアリング、設計、マーケティングといった各部署で起こるイノベーションを支える工程であったりする。イノベーションはまた、もっと概念的なものと考えることも可能だ。この場合、イノベーションの成果は知識や判断の向上、あるいは組織の学習能力を支えるプロセスといえる。イノベーションを、不確実な未来に直面した際に選択肢を生みだす一手法と考えることができるのだ。

筆者は、「継続的改善」と語られ、その性質上、日常的で非常に漸進的な傾向を持つイノベーションには傾注しない。これらの小さな改善は蓄積すると重要であるものの、私たちの関心はむしろ、組織が生存や繁栄をはかる際にその全力を発揮させ、組織のあり方に挑戦するアイディアにある。取り組みの成果として、あるいはそれらを創出するプロセスについて生じる並外れたイノベーションに集中することで、一般的にイノベーションと理解されるものの大部分を描きだすことができる。

イノベーションの重要性

イノベーションがなぜそれほど重要なのか、その理由は、今日の組織に対する容赦ない要求の文脈から理解されなければならない。組織が、複雑かつ騒然とした世界において直面する挑戦という文脈である。組織は変化し続ける市場や技術に対応するため、適応および進化しようと格闘する。したがって、イノベーションは組織の存続に不可欠なのだ。

民間部門では常に、グローバル化した市場における新たな競争相手の脅威が存在する。公共部門では、効率化やパフォーマンス向上の要求が絶え間ない。生活の質を改善するため、あるいはサイバーセキュリティ、異常気象などの新たな問題に対応するための要求額が歳入を超えており、政府がそれらをコントロールしようとすることが理由だ。慈善団体や非政府組織も、自身が取り組む課題に対応するには、新しくさらに効果的な方法を常に考える必要がある。すべての組織は、もしイノベーションができないならばほかの組織が実現してしまうことを理解しており、これがイノベーションへと向かう動機づけになっている。ほかの組織とはつまり、自身の存在そのものを脅かす新しいプレーヤーだ。わかりやすくいうと、組織が進歩しなければならないなら、つまり発展、成長し、より収益性が高く、効率的、そして継続的になるためには、新しいアイディアを成功裡に実現する必要がある。組織は絶えず、革新しなければならないのだ。経済学者であるヨーゼフ・シュンペーター（図版２）が

図版 2　ヨーゼフ・シュンペーターは，イノベーションを経済発展理論の中心に据えた。

述べたように、イノベーションは、もっとも単刀直入なかたちで「素晴らしい報酬というアメか困窮というムチを提示する」のだ。

　イノベーションの特徴のひとつは、それがすべての組織で見つかるということだ。イノベーションの費用は非常に高額であり、いくつかの見積もりでは新規薬剤の開発に一五億ドルから二五億ドルかかるといわれるものの、新しいアイディアは安価にうまく実現することも可能だ。半導体を製造したりバイオ技術を用いるハイテク企業にかぎったことではなく、経済のすべてが産業界のイノベーションに依存している。保険会社や銀行は常に、顧客サービスの新しいアイディアを探している。店舗は発注や在庫を管理するため、洗練されたデジタル・インフラを使っている。農場は新しい種子、肥料、灌漑技術を用い、人工衛星が作付や収穫の最適化を支援し、その製品としてもバイオ燃料や健康増進のための機能性食品など、新しい利用がおこなわれている。建築業界では、新しい素材や建築技術においてイノベーションがおこなわれている。食品を新鮮に保つ容器や、新しいデザインをより速く安価に導入する衣料メーカーも同様だ。イノベーションは医療、輸送、教育といった公共サービスでも追求されている。慈善団体はクラウドソーシングを使ったキャンペーンにより、基金を増やすことができる。年金の原資を投資する企業など、いくつかの分野では過度なイノベーションは望ましくないかもしれないが、一般的にいうと、新しいアイディアの活用から恩恵を受けていない企業体や組織は非常にまれなのだ。

課題

イノベーションには膨大な課題もある。人びとの多くは、イノベーションが起こす変化に落ち着かなさを感じる。とくにイノベーションが広範囲に及ぶ際は、従業員に悪影響を与える場合もあり、不安、恐怖、不満を誘発する。組織では、社会契約によって成員が忠誠心、コミットメント、信頼感を育てる。イノベーションはリソースの配分を変え、グループ間の関係を変え、ほかが不利な立場になるにもかかわらず、組織の一部が上に行くのだと強調することで、その社会契約を覆すことがある。人びとが長い年月をかけて獲得し、自身の強固なアイデンティティともなっている技術的・専門的なスキルを、イノベーションは危うくもする。つまりイノベーションは、権力の行使、そしてそれに対する抵抗と不可分なのだ。

イノベーションの試みのほとんどは、うまくいかない。個人や組織が生みだし、その多くは素晴らしいものだった新しいアイディアを応用しようとして失敗におわった試みは、歴史上、いくつもある。一九九〇年代の米国では、環境的なメリットが大きく費用対効果の高い電池式電気自動車が残念な運命を辿ったが、これは、イノベーションが既存の権益に対して重大な脅威となりうることを非常によく示している。政治・ビジネス権益の連合が、この新しいアイディアが当時の市場に届かないように結託したのだ。電池式の電気自動車は消費者には人気だったが、定着したエネルギー・インフラ、石油会社、ガソリンの配給ネットワーク、そしてガソリン・エンジン車の製造とメンテナンスに対して既存の自動車産業がおこなう巨額な投資と、競わなければならなかった。

組織は、既存のノウハウやスキルを活用して短期的な運営を維持する取り組みと、変化する世界において長期的な生存を支える能力を発展させるための新たな取り組みとを、同時におこなわなければならない。これらの取り組みに求められるのは、互いに異なる、そしてときには両立することが難しい行動や慣例だ。実際、組織はしばしば、現在の成功につながった慣例を脅かすような新しいアイディアを用いなければならないというパラドックスに直面する。将軍たちの戦い方がいまの戦争のそれではなく、むしろ一つ前の戦争のものだというならば、マネジャーたちが頼みとするのは、未来に対応するためにより効果的な方法ではなく、むしろ過去において組織と自分たちの進歩に役立った方法だ。一九世紀がおわろうとするころ、エジソンがイノベーションの創出を目的とする最初の会社を設立して以来、アイディアの創造と利用を組織立っておこなうために、数多くのさまざまな方法が一定の周期で好まれてきた。ビジネス環境の変化により、企業内の大規模かつ集約された研究開発ラボはもはや、かつてほど多くは用いられていない。つまり日常的な業務とイノベーションのバランスをとる方法が、常に探し求められているのだ。

組織単独によるイノベーションもまれであって、イノベーションは供給者、顧客、ユーザー・コミュニティを含む他者とともにおこなわれる。イノベーションはまた、特定の地域や国といった文脈のなかで起きる。たとえば、シリコン・バレーやその他の国際的なイノベーション拠点にみられるように、イノベーションを支えるスキルや大学での研究へのアクセスには地域的な側面が大きい。政府による政策や規制もイノベーションに影響するが、この点は国の金融・法制度が、リスクをいとわない投資資本の見つけやすさ、技術標準の創出、そして知的財産権の保護といった問題に影響するのと同様だ。通信や運輸といった、社会基盤の使い勝手と費用も重要である。イノベーションをおこなう人びとは自分たちに将来、何が起こるか決して完全にはコントロールできないことから、ここで述べた各要因がイノベーションの複雑さを増大させ、そして予見可能性を減少させる。これらの要因はまた、イノベーションの基本的な特質、つまりイノベーションはそれぞれに独特な状況のなかで起きることを指し示している。

サービス産業であれ、製造業であれ、資源産業であれ、そして公共部門や第三セクターであれ、そのいずれであっても今日の経済における主要部門では、進歩は知識と情報の所有や入手、利用にかかっている。競争優位性と効率性は組織が保有するリソース、つまり人材、資本、技術、そしてイノベーションに貢献し、またそれを活用するほかの組織との関係を築く方法まで、すべてを用いて革新的であれるか次第なのだ。

人びとや組織のためにイノベーションを推進し実行する際の課題とともに、イノベーションにともなうより広範な社会的・政治的な課題についても考える必要がある。イノベーションは、雇用水準や仕事の性質に大きく影響する。イノベーションによって大量虐殺兵器がもたらされ、環境に甚大なダメージを与えもした。インターネットから数々の恩恵が得られるが、それはまたテロリズム、児童の搾取、ネットいじめの手段ともなっている。イノベーションが社会に与えるより広範な影響については、あらためて議論する。

イノベーション思考

米国の経済学者、ウィリアム・ボーモルは、一八世紀以降に起きた経済成長のほぼすべてが、最終的にはイノベーションによるものであると論じた。以降、産業界では、成功裡に応用されたアイディアが発展の主因であると認識されている。

また、一七六七年にアダム・スミスの『国富論』が出版されたことにより、組織や技術と生産性の関係について、その重要性が研究され認識されはじめたのも一八世紀であった。スミスは、ピン工場における分業制の重要性について今日では有名な分析をおこない、これはウェッジウッドの工場にも影響を与えた。彼は、ピンを製造する際に特定の工程に特化することにより、個々人がピンをそれぞれ製造する場合と比較すると、労働者の生産性が大いに向上することを示したのだ。つまり、たとえ「最大限の勤勉さ」を発揮しても、一人きりでは、一日あたり一つから最大二〇個のピンしか作れない。しかし分業すれば、「熟練度が非常に低い」労働者であっても、「必要な機械を適当に与えられ」たうえで「奮励した場合」、四八〇〇個を製造できる。

一世紀の後に登場したカール・マルクスは、イノベーションが重要であることには明白に気づいていたものの、その負の結末に対してさらなる関心を持っていた。彼は『資本論』の第一巻において、次のように宣言している。

現代産業においては、既存の製造工程の様式を決定的なものだと考えたり取り扱うことは決してない……。機械、化学的な工程、その他の手法が手段となって、製造の技術的な基礎のみならず、労働者の役割や労働過程の社会的な結合までをも継続的に変容させていく。

資本主義のもとで技術の変化が使用されることにより、その可能性が否定されてしまうことは、必然的に労働者を抑圧することになるとマルクスは論じた。資本主義は労働者を機械に従属させるとマルクスは主張したが、彼はまた、技術には労働者を機械的で単調な仕事の重荷から解放し、社会関係を豊かにする可能性があると信じていたのだ。

マルクスは、技術の発展と利用に対しては社会的側面が非常に重要であると強調したわけだが、これはイノベーションの歴史を研究する際に繰り返し現れるテーマだ。たとえば、米国における自動工作機械の発展を研究すると、しばしば社会の支配的勢力が技術を形成してきたことが描きだされる。旋盤のような工作機械の自動制御や数値制御はさまざまに設定でき、これにより機械の使用法についての裁量権を大なり小なりオペレータに与えることも可能だった。その技術はしかし、オペレータではなくエンジニアリング計画の担当部署がコントロールするように構築されていた。経済効率性の面では劣るが、この新技術の主要な顧客である米国空軍の期待に添ったゆえであり、つまり既存の権力構造を反映していたのだ。

さらに大きなレベルでは、蒸気動力、電気、自動車、情報コミュニケーション技術といった過去における技術上の大変動は、そのいずれによっても産業や社会の大規模な調整や適応を必要とした。経済学者のクリストファー・フリーマンとカーロータ・ペリッツは、産業革命以降の新技術の普及により、歴史上、圧倒的な構造変革が求められたが、これは産業と社会において、また法や金融の枠組み、新しいスキルや職業のための教育訓練システム、新たな経営システム、そして国や国際社会での新たな技術標準においておこなわれたことを示した。

有能な「人的資本」の重要性は長いあいだ認識されてきた。政治学者のフリードリッヒ・リストは一九世紀半ばのドイツにおける産業発展をみて、国家の富は知的資本、つまりアイディアを持つ人びとの力により創出されると宣言した。一八九〇年、英国の経済学者アルフレッド・マーシャルは、知識とは経済のために利用可能な最強の生産エンジンであると述べた。理論経済学者でありながら定期的に企業を訪問し、常に現場に足を踏み入れていたマーシャルは、イノベーションの重要性を称揚し、とくに「産業特区」における先進的企業の「クラスタリング」について、その有用性を分析したことにより記憶されている。

かりに経済学者の誰かが、イノベーションを発展理論の中心に初めておいたのは自分だと主張するならば、それはヨーゼフ・シュンペーター（一八八三〜一九五〇年）になるだろう。彼はイノベーションについて、今日にいたるまでもっとも影響力のある思索をおこなった。豊かな経歴を持つ複雑な人物で、いっとき、オーストリアの財務大臣を務めたり、破綻した銀行の取締役やハーバード大学の教授でもあったシュンペーターは、イノベーションは「創造的破壊の旋風」を解き放つと論じた。イノベーションは革新的技術の巨大な嵐として現れ、石油や鉄鋼のように、経済を根本から変革し発展させる。イノベーションは創造的で有益であり、新たな産業、富、雇用をもたらすと同時に、既存企業のいくつか、同様の製品や仕事の多く、そして夢破れた起業家にとっては破壊的でもある。シュンペーターにとってイノベーションは、次のような競争を生き抜くために必須のものであった。

新たな商品、技術、供給源、組織形態が起こす競争……コストあるいは品質面での決定的な優位性を要求する競争、また既存企業の周辺的な利益や生産物ではなく、その基盤や生存そのものを襲う競争……

イノベーションの主因は何かについて、シュンペーターの意見は生涯を通じて変化したが、これは産業界における慣行の変化を反映したものだ。一九一二年に出版された初期の「マークI」モデルでは、英雄的にリスクをとる個人としての起業家が強調された。三〇年後に出版された「マークII」モデルは、これと対照的に大企業における公式の、組織化されたイノベーションへの取り組みを前面に出している。ちょうどこの間に、ドイツと米国の化学産業、次いで電機産業において、現代にみられる研究所が確立されたためだ。一九二一年までに、米国の産業界には五〇〇を超える研究所が存在するようになっていた。

五つのモデル

科学の進歩と産業界におけるイノベーションとの関係を調べた最初の、そしてもっとも影響力の大きな研究のひとつは、第二次世界大戦の直後、米国大統領の最初の科学顧問であったバネバー・ブッシュによっておこなわれた。その報告である『科学――終わりなきフロンティア』のなかでブッシュは、制約をとくに設けずに研究を大規模に支援する国家政策を提唱した。同書は人気を博し、『フォーチュン』誌に連載されたほか、ブッシュ自身は『タイム』誌の表紙を飾った。研究への投資が、一見厄介なほとんどの問題についての解決になるという視点は、原子爆弾を開発したマンハッタン計画にブッシュが関与していた結果だ。多くの人びとの心中では、原子爆弾は太平洋における戦争の終結を早めた成功譚なのだ。製品や工程のイノベーションのすべては苦労の多い基礎研究にその礎があるという意見は、ブッシュ報告を単純に解釈してはいるものの、イノベーションの「科学プッシュ」モデルの原則論となり、今日まで科学研究コミュニティに属する多くの者が好む見解となっている。

これに代わる見方は一九五〇年代から一九六〇年代に登場し、イノベーションの主因として市場における需要の重要性を強調している。この説の登場は数々の要素が働いた結果であり、たとえば、軍事のような部門における技術的成果の多くは、科学にもとづいてあらかじめ定められた設計よりも、ユーザーの要求にもとづくことを示した複数の研究があった。これと同時に、企業において大規模な企画部門が増えており、その背後には、十分な市場調査によって消費者のニーズを満足させる科学技術上の新たな要求がわかるという、自惚れた信念があった。この動きは当時、予測力を持つと主張していた社会科学の隆盛も反映している。科学技術に対する戦後の熱狂的な信奉と反対に、一九六〇年代、自動車の危険な設計に対して広がったラルフ・ネイダーによる自動車安全キャンペーンのような社会運動が、科学技術の使われ方に疑義を呈し、消費者ニーズにより注意を払うよう要求しはじめた。住宅供給の分野では、団塊世代の人口動態に関する調査が世界中で「予測と供給」戦略につながり、増大する需要を満たすためにイノベーションが求められた。この視点は、イノベーションの「需要プル」モデルとして知られるようになった。

これらのモデルはともに、イノベーションの進み方を直線的なものとしている。研究が新たな製品や工程につながり市場に導入されるか、新製品や工程に対する市場の需要がそれらを開発する研究につながるのだ。しかし一九七〇年代に実施される研究の量が増加すると、この直線的な想定に疑問が生じた。英国サセックス大学のプロジェクトSAPPHOなどの先駆的な調査が、産業セクター間の違いを発見したのだ。たとえば、化学産業におけるイノベーションは、科学機器業界のそれとは異なる。さらに、イノベーションの様式も時間経過とともに変化する。マサチューセッツ工科大学のアバナシーとアッターバックは製品のライフ・サイクルについて理論化し、製品開発における通観的なイノベーションが最初に起こり、次いで規模が縮小され、製品の応用と製造工程に焦点をあてた通観的なイノベーションがとって代わると唱えた。イノベーションは一定方向に進むものではなく、もっと双方向的な、フィードバック・ループを持つものと考えられたのだ。

右に記したイノベーションの「カップリング」モデルの背後にある組織とスキルの問題が、一九八〇年代、主に日本の産業界の大成功によって注目されるようになった。当時の自動車産業についての調査によると、自動車の設計や製造に要する時間などイノベーションの実績のすべての面において、日本の自動車製造業は海外の競争相手より二倍、効率的だった。この点を説明するのが「リーン生産」と表されるアプローチで、これは、日本以外の国々で用いられていた大量生産手法とは対照的なものだった。ヘンリー・フォードに代表される大量生産は、標準化された製品を製造する組立ラインがもとになっている。「何色であってもお望みのT型フォードをお求めいただけます、それが黒であるかぎりは」とフォードが語ったと、評判になったように。リーン生産は組立ラインの柔軟性を広げ、より多くの種類の製品が造られるようにした。たとえば供給業者との関係では、組立部品が「ジャスト・イン・タイム」方式で配送されるようにし、これによって在庫のコストが減り、市場の変化に対応するスピードが上がった。また品質管理に対して執着ともいえるほどの関心を持ち、多くの領域で現場の作業員がその担当となった。

イノベーションのための組織法について日本企業と西洋企業の違いを分析する際、前者はラグビー（ネットボールでもよいが）であり後者はリレー競走だという比喩が使われた。西洋におけるイノベーションは企業内の一部に課されるもので、たとえば研究開発部門でそのプロセスがはじまり、しばらく走ると次の部門、たとえばエンジニアリングに手渡し、そこも同様にしばらく作業してから製造部門へ、次いでマーケティングへと手渡していく。このように直線的なプロセスには、プロジェクトが企業内を移動する際に重大な連絡ミスが生じる可能性があるため、日本企業からは非常に無駄が多いとみなされた。

ラグビー、あるいはネットボール選手の比喩が使われたのは、日本企業のとった方法が、異なる種類の関係者を同時に結びつけるものだったからだ。さまざまなスキルや能力、つまり体が大きく背が高いが一般には緩慢な者、そしてどちらかというと小柄だが巧みで素早い者、これらすべてが同じ目的に向けて動く。組織の全部門が、イノベーション活動のために結びついていた。

企業内と同じく、革新的な企業間の協力も、一九八〇年代における日本企業の成功譚を特徴づけている。同じ産業グループにおける顧客と納入業者との緊密な協力関係、つまり「系列」に加え、日本の政府は競合企業のあいだでも協力を奨励した。たとえば第五世代コンピュータの開発計画では、共通の研究課題のために、通常は競争にしのぎを削っているコンピュータ製造企業の協力を進めようとした。これはイノベーション戦略と公共政策における「協力」モデルであり、情報技術（ＩＴ）分野ではヨーロッパが、半導体分野では米国が、熱心に追随した。

一九九〇年代になるころには、企業のイノベーション戦略や支援技術に生じた数々の変化が、イノベーション研究の創始者のひとりであるロイ・ロスウェルによって明らかになりはじめていた。彼は企業がイノベーション戦略を立てる際、「リード・カスタマ」、要求を持ってくる顧客、共同開発者といったイノベーションのパートナーをしっかりと組み込んでいると述べた。彼はまた、同じく重要な点として、コンピュータ支援型設計・製造技術のようなデジタル技術の活用があり、これがイノベーションをおこなう際に企業内の異なる部門を結びつけ、社外の関係者も社内における開発の取り組みとつながりやすくすると主張した。ロスウェルはこれらを、イノベーションにおける「戦略的統合とネットワーキング」モデルと呼んだ。イノベーションを支えるために戦略的・技術的な統合を進めるこのトレンドは、コンピュータの膨大な処理能力、インターネット、そして人工知能（ＡＩ）のような新しい視覚化、デジタル技術の活用とともに続いている。

イノベーションのプロセスに関するこれらのモデルは、イノベーションが圧倒的に製造業で起きていた工業経済に由来している。今日の経済ではサービスが主流であり、先進国では国内総生産（ＧＤＰ）の約八〇パーセントを占めている。経済における付加価値の多くはサービスと製造の合わせ技、そしてデジタルの仕組みと物理的な仕組みとを混ぜ合わせることによって生まれる。計測したり観察したりすることが可能な有形の、物理的な物を基礎とする経済から、生産物が重量もなく目にも見えない経済へと変容したのだ。さらに、二〇〇八年に発生した世界的な金融危機が示すように、私たちが生きているのは極端に波瀾に満ちた不安定な時代であり、そこでは、確立された公式や処方箋はどのようなものであっても、新たに立ち現れるまだ見たこともないような状況によって試されることになる。未来のイノベーション・モデルはいまよりもはるかに有機的で進化的であり、イノベーションはその根源も不明確で、当初は関係する組織もわからず、その結果は予見不可能性からほぼ確実に逃れられないものとなるだろう。このような状況下では、過去の知識は何であれ、未来についても通用するか見極めることが大切になるだろう。また、イノベーションの理論がどのように有用なものか、理解していることも助けになるだろう。

理論

単一の、統合されたイノベーション理論は存在しない。経済学、政治学、社会学、地理学、組織学、心理学、ビジネス戦略などが、そしてこれらすべての学術分野に依拠する「イノベーション研究」が、部分的な説明をおこなっているのみだ。イノベーションには複数の影響、経路、そして結果があることからすると、これは自然なことかもしれない。各種の理論の使い勝手は、それらが研究している特定のテーマによって決まる。心理学による理論はイノベータ個人が研究対象である場合に有用であるし、組織によるイノベーションであればビジネス戦略が、国家によるイノベーションの実績をみるのであれば経済学が有用だろう。イノベーションの理論について考える際に大切なのは、それらが今日的な問題、その重要性を説明しているばかりでなく、社会、経済、環境に関わる主要な問題に取り組む手助けとして、将来、イノベーションが有用であることを示している点だ。

近年、イノベーションの各種理論における共通点をあわせた観点が多く登場している。たとえば、マクロ・レベルでは進化経済学、ミクロ・レベルではビジネス戦略分野で用いられる「ダイナミック・ケイパビリティ」論などが該当する。

あらゆるイノベーションの理論は、異なる様相を呈する経験的な事象を説明しなければならないという課題に直面している。イノベーションの理論はまた、イノベーションが持つ複雑性、動態、不確実性を網羅しなければならないが、これらはイノベーションの生じ方のためにしばしば増大する。つまり、多数の関係者が貢献するものの、彼らは多くの場合、互いに異なりかつ曖昧な目的しか持っていないのだ。このようにして、イノベーションは創発的な特性を持つことになる。はじまったときには結果がどうなるかわからない、または想定できない集合的なプロセスから生まれるのだ。

シュンペーターの流れをくむ進化経済学では、資本主義はひとつのシステムであると考えられており、そこでは起業家によって、また研究者グループのイノベーションへ向けた活動によって、新たなアイディア、会社、技術のバラエティ〔異なる種類〕が継続的に作られる。企業、消費者、政府の決定により、このバラエティのなかから選別が起こる。あるものはうまく普及して新しい組織、ビジネス、技術へと成熟し、将来の投資へ向けた基盤とリソースを提供して、さらにバラエティを創りだすことになる。このバラエティや選別の多くは急激なものであるか普及に失敗するかであるため、経済の進化的な発展は大きな不確実性と失敗に彩られている。

ダイナミック・ケイパビリティ理論は、たとえば、イノベーションについて企業がどのように探索、選択、設計、展開、学習するのかを対象としている。その主たる関心は、知識のように無形で再現することが難しい資産を創出し、活用し、保護するスキルやプロセス、体制にある。戦略論的なこのアプローチは技術、市場、組織に働く断続的な力学を反映しており、情報が限られ状況が予測できないなかで脅威を察知し機会を捉える能力が、企業の優位性を維持する鍵となっている。

イノベーションに関するこれらの理論的説明には、複雑性と創発的な状況が織り込まれている。変化と適応が常に起こり、企業の戦略がしばしば実験的なものにすぎない経済活動において、イノベーションが直面する厄介な現実を内包しているのだ。

時　間

イノベーションの理解に時間の切り口は不可欠だ。その成果、つまり何が起きたのか、またそのプロセス、つまりどのようにイノベーションが起きたのかを考えるためには、イノベーションが起こった期間について知る必要がある。イノベーションが生じる前に存在したモノと比較することにより、イノベーションの新奇性が判断される。

イノベーションが時代に先駆けて起きると、どれだけの労力を投じても、普及し成長し続けるための勢いを得ることができない。一九九〇年代の電池式電気自動車に起こったケースが、おそらくこれに該当するだろう。イノベーションに時間がかかりすぎても、より優れた、あるいは安価なアイディアが登場して失敗となることがある。ときには市場や技術が急速に変化し、ある時点では良いアイディアとみえたものから、あっという間に離れてしまう。このため、革新的な組織は新しいアイディアの時間尺度について考えなければならない。かつてのイノベーションの普及パターンから自身の立ち位置を検討し、進展に合わせてどの程度のリソースが必要かを決定する正式なプロジェクト管理手法により、イノベーションを速めるツールや手法を用いて、この作業はおこなわれる。イノベーションに対する投資をどう回収するかは長い年数にわたって計画され、許される期間内に適切な収益がある場合に投資が決定される。イノベーションの進展や導入にかかる時間を減らすことがリスクの管理となる。素早く動くことは、いつもではないが、通常、有益であると考えられている。時間を短縮すれば、競合相手と対決したり、無駄にリソースを浪費してしまう可能性を減らすことになる。しかしながら、動きが速すぎるとミスが起きたり、それらから学ぶことができなくなってしまう。

短期的な視野は漸進的イノベーションの理解にはよいが、急激なイノベーションがどこで、なぜ、どのように発生し、また失敗するのかをより広く捉えるには、長期的な観点が求められる。科学的発見、イノベーション、そして社会における変化の関係を理解するためには、歴史を深く読み解かなければならないのだ。

第5章でエジソンについて論じるように、イノベータは選択肢を創りだすことで将来の成功確率を上げる。その選択肢によって可能性が異なる道筋を辿ることができ、後々、結果が明らかになるであろう時点まで、無用な決断を避けることができるのだ。不測の事態に対して方策を立て備えておくことで、イノベータは方向を変えたり、計画表を修正したりできる。ルイ・パスツールが実験による科学的発見について述べたように、「偶然は備えある者を好む」のだ。

イノベーションとその普及の速度は、業種ごとに大幅に異なる。たとえば、製薬業においては通常、新薬が市場に出るまでに一二年から一五年を要するが、新しいデジタル・サービスが大きく成長するには何か月かしか、かからない。学生寮からはじまったフェイスブック社〔現メタ社〕がバンク・オブ・アメリカを超える価値を持つようになるまでは、一〇年だった。組織は、自業種においてイノベーションの先導役を担うか他組織の後を追うか、戦略的に選択することもできる。先導役であれば、ときには、自身のアイディアから最大限の報酬を得る最良の機会に恵まれる。化学メーカーであるデュポンがその例だが、一世紀以上にわたって常に他社をリードし、新製品を市場へ送り出してきた。しかしこの「先発者利益」は、ともすれば勝ち取るのも維持するのも難しい。市場が完全に形成されていなかったり、需要を刺激するためのコストが膨らんだりすることがあるため、しばしばリスクが大きくなるのだ。

ほかの組織は先導役から学ぶことを選び、うまくいきそうなイノベーションを模倣したり、気づいた落し穴を避けたりする。ファストフォロワーは多大な報酬を得られるが、これはマイクロソフト社がおこなっていることで、他者が当初のリスクを担ったイノベーションに一貫して迅速に対応している。多くの組織には、先発者やファストフォロワーになるスキルもリソースもない。とはいえそれらの組織は、製品、工程、あるいはサービスを改善、適応、拡張するイノベーションの恩恵を受けることができる。イノベータとしての立ち位置が何であれ、そしてどのような戦略を追求していようとも、〔イノベーションの〕時間的側面を正しく評価する能力は、イノベータとしての実績に大きく影響する可能性が高い。

イノベーションの消費者による利用と普及

イノベーションの影響力は、普及の度合いによって決まる。この点に関する古典ともいえる研究『イノベーションの普及』を一九六二年に執筆したエベレット・ロジャースは、同書の最初のページで次のように述べている。「明確な利点がある場合でさえ、新しいアイディアが導入されるには、しばしば大きな困難がともなう。イノベーションの多くには、利用可能となった時点から広く導入されるまでに何年も、といった長い期間がかかるのはよくあることだ」。イノベーションを取り入れるかどうかは即断されるものではなく、徐々に起こるプロセスであって、異なる行動の連続である。まず、既存のさまざまな条件によって消費者がそのプロセスに参入する。それらの条件には、経験、既存のニーズや問題、社会制度（社会集団など）における規範、そして一般的な意味での革新性を好む心理などがある。したがって、イノベーションの導入は、その背景となる社会的文脈に縛られるのだ。ロジャースにとって、イノベーションをめぐる決定は、経済的なプロセスであるのと同じくらい社会的、そして心理的なプロセスなのである。

革新的な製品やサービスを開発する組織に対してこの点が示唆するのは、自らが提供するものがどのように消費され、どのような意味を与えられるのかを理解しなければならないということだ。ソニーのウォークマンは、カセットテープを使用したモバイル型の音楽再生装置だが、もともとは都会の若者たちが音楽を聴くために創られた。友人と同時に音楽を聴くためにヘッドホンの差し込み口が二つあったが、これは、外で自分だけが音楽を聴くのは失礼だと考えられていたためだ。つまり、音楽を聴く楽しみは、そのまま共有するものだという思い込みがあった。ところが、年齢に関係なくより多くの人びと、とくにジョギングやサイクリングなどのアウトドア活動に熱心な人びとがウォークマンを購入し、一人で音楽を聴くようになった。ウォークマンは、共有用ではなく個人用として使われたのだ。同社のウォークマンⅡはデザインを変更し、ヘッドホンの差し込み口を一つだけとした。またアウトドア活動のイメージを、製品の広告に取り入れた。設計者が製品の使われ方をより良く理解していたことから、ウォークマンⅡは大いに成功した。

日本出身の社会学者である尾崎立子は、消費者がハイブリッド車、とくにトヨタのプリウスを購入する理由を調べた。彼女が発見したのは、ハイブリッド車を使うことが、ガソリンの使用量を減らすためだけではなく、環境を意識しているなかのひとりであるという自己表現でもあることだ。消費者にとって購入時とその後の諸経費は主たる関心事であり、とくに燃費や道路税の減額が重視されていた。車のサイズ、快適性、静寂性、そして使いやすさなども、購入を決定する際には実用性、合理性、そして実利の面でプラス要素となった。信頼性に関する企業の評価や、消費者がかつてトヨタ車や他社のハイブリッド車を運転した際の経験も、決定に影響する。そして購入者が上位に挙げたのが、プリウスの環境に対して良いとされる点と、自身の環境に関する価値観や信念に合致していることだった。つまり、消費を通じた個人的・社会的な表現行動なのである。技術に対する関心も、購入との関連性が高い。もとからテクノロジーが好きで、ハイブリッド車にみられる電気とガソリン・エンジンの組み合わせのような目新しい手法に対して、前向きな姿勢を持つ人びとがいるのだ。

これらから、消費者によるイノベーションの利用とは、金銭的、実用的、そして審美的な理由を超えたものであって、社会的な圧力や規範、新奇性や新たな経験に対する個人の姿勢が関与しているといえる。

イノベーションの普及について、より広く社会的な視点を用いる場合に長いあいだ論じられてきたのが、急激な技術イノベーションによって、その属する社会や経済の側に大々的な調整が必要となる点だ。その範囲は新しい産業構造からまったく新たなスキル、労使関係、規制の必要性にまで及び、すべてが実現するには何十年とはいわないまでも、多くの年数を要する可能性がある。しかしながらビジネス上の現象のなかで近年、もっとも顕著なもののひとつは、ツイッター（Twitter）やインスタグラム（Instagram）などのソーシャルメディア・プラットフォーム、アリババやイーベイ（eBay）

といったeコマース企業、そしてウーバー（Uber）やエアビーアンドビー（Airbnb）のような「シェアリング経済」に関わる組織の急成長だ。これはつまり、家庭での小規模発電など多くの複雑なイノベーションでは技術、経済性、社会的な受容度のさまざまな面が揃って進化するための時間が必要であるのに対して、安価な宿泊施設や運送など、多くの潜在的な社会需要と合致した場合には、革命的なアイディアの普及が急速に起こることを示している。

第3章　ロンドンの「横揺れ」橋

失敗からの学び

イノベーションを創造的破壊としたシュンペーターの分析が示しているのは、イノベーションの結果がプラス面とマイナス面を同時に持ちうることだ。イノベーションは、富と仕事を創出もするし、破壊もする。ウェッジウッドが築きあげた新産業がそうであるように、新たな産業、企業、製品を創りだして、私たち全員に大きく影響する。サービス産業の例であれば格安の航空会社、インフラであれば空港などの例がある。新薬や新たな輸送、コミュニケーション、エンターテイメントの手段、そして多種多様な食品やその入手しやすさといったかたちで、イノベーションは生産性や生活の質を向上させる。何百万もの人びとを貧困から引き上げることにも貢献したが、これは最近の何十年かのあいだに、とくにアジアで起こったことだ。イノベーションゆえに、仕事はより創造的で、興味深く、挑戦的なものとなりうる。しかし、新たなアイディアをうまく使うことが、重大な悪影響ももたらす。競争相手ほど革新的ではない国家や地域は取り残され、豊かさの格差が拡大していく。イノベーションによって仕事は単純作業になり、職業満足は低下し、失業が増加する。内燃機関やフロンガス、クラスター爆弾、化学兵器が環境に影響し、二〇〇八年の世界金融危機の背後にあった複雑な金融商品もまた、害悪を生じさせた。

イノベーションの悪影響を予言することは、プラス面の効果を予見するのと同様に難しい。これらが予測できないのと同時に、混ざり合うからだ。プラス面としては、内燃機関が旅行を大衆化し、フロンを使用した冷蔵庫によって栄養状態が向上し、金融上のイノベーションは、より良い生命保険や年金という安心をもたらした。しかし、イノベーションの結果が折に触れて曖昧な性格を持つことがわかるのは、失敗した事例においてだ。イノベーションの試みのほとんどは失敗するものであり、利益の分布にも大きな偏りがあるが、失敗自体が重要な結果でもある。いまから、この点をみていくこととする。

失　敗

イノベーションにはリスクがともなうが、それはたとえば、次の点を考えなければならないためだ。

・需要リスク――新製品やサービスの市場はどのくらいの規模か？　競合相手は登場するか？

・ビジネス・リスク――イノベーションにかかる諸経費の負担に適切な資金は得られるか？　組織の評判やブランドに対して、どのような影響があるか？
・技術リスク――技術は機能するか、安全か、ほかの技術をどのように補完するのか？　より良い競合技術は登場するか？
・組織リスク――適切なマネジメント体制および組織体制が使われているか？　必要なスキルやチームは手に入るか？
・ネットワーク・リスク――適切な協力相手や供給網は整っているか？　重大な漏れはないか？
・文脈リスク――政府による政策、規制、税制、そして金融市場は、どの程度変化しやすいか？

理論上では、確率を想定することにより、リスクは計測したり管理したりできる。ただし、過去によって未来を予測できると考えることには、常に危険がともなう。これに対して不確実性とは、真に未知の結果であり計測できず、その管理には豊富な経験と洞察にもとづく決断が必要だ。このリスクと不確実性のためにイノベーションの多くが失敗するが、同時にそれらがやる気のもとともなっている。もしリスクも不確実性もなく、誰でも容易にイノベーションができるならば、競合相手に対する優位性も乏しいものになるからだ。

失敗はまた、将来の改善につながる貴重な機会でもあり、ロンドンのミレニアム・ブリッジの当惑するような事例がこの点を示している。この橋はテート・ギャラリーからセントポール大聖堂をつなぎ、一〇〇年以上ものあいだで初めて、テムズ川に架けられた歩道橋だった。工学、建築、そして彫

図版 **3**　ミレニアム・ブリッジは，ゆらゆらとはじまったが偉大な成功となった。

刻の点から類まれな成果であり、デザインの美しさから川に架かった「光の翼」と描写された（図版3を参照）。橋は二〇〇〇年六月一〇日に開通し、その際には八万から一〇万の人びとが歩いて渡った。しかし、大きな集団が渡ると明らかに、そしてしだいにひどく揺れはじめ、あっという間に「横揺れ橋」という悪名がつけられた。開通二日後には橋は閉鎖され、関係者全員を大いに困惑させることとなった。

　集中的な国際協力によって原因が特定され、正された。問題はどうやら、アヒルのように足を広げて歩きがちな男性の歩き方だった。〔このため、橋の上で〕多くの男性が一斉に歩くと、通常ではみられないような「横方向への加振」が生じる。もしこの橋が女性専用であったならば、何の問題もなかったのだ。この大失敗から橋の設計に関する新たな知識が生まれたことにより、将来のプロジェクトでは、多くの男性がともに楽しくアヒル歩きで川を渡っても大丈夫になるだろう。

ミレニアム・ブリッジは、科学、技術、そしてイノベーションにおける進歩の多くが、失敗の上に成り立っている様子を示す一例だ。化学者のハンフリー・デービーは、「私の発見のうちもっとも重要なものは、失敗によって示唆を得たものだ」と述べた。ヘンリー・フォードも、「失敗とは、より賢い方法で再開するための機会であるにすぎない」としている。経験則では、新しいアイディアによる利益の分布には大きな偏りがあり、物理学者や経済学者がいうところの「ベキ分布」となっている。成功するのは、ごく少数の論文、特許、製品、そしてスタートアップ企業のみだ。ほとんどの事例において、大半の利益がイノベーション投資の一〇パーセントから生じている。いくつかの分野では、その分布はさらに偏っている。ある一時点で、新薬の可能性を持つ研究が世界中で八〇〇〇件にのぼるとしても、おそらくわずか一件、あるいは二件しか成功にいたらないということだ。

時間的要素も、失敗に大きく関わる。ミレニアム・ブリッジのように失敗とみえたものが成功したり、成功例が時間の経過とともに失敗となる可能性もある。一九四九年にデ・ハビランド・コメットが導入されると、その航空機は商用の国際航空産業の創出に重要な役割を果たした。コメットは製品イノベーションの大いなる成功例と考えられていたが、一九五〇年代半ばになると、警戒すべきほどに繰り返し墜落するようになった。当時の航空機エンジニアには、墜落の原因であった金属疲労についての知識がほとんどなかったのだが、これらの失敗から得た教訓により機体の設計が改善された。

製品が技術的には成功であっても、市場で失敗することもある。ソニーのベータマックスは、競合するビデオ録画機である松下電器産業のVHS方式よりも技術的には優れていたが、市場におけるドミナント・デザイン〔市場において規格、標準となる支配的な技術や設計〕をめぐる競争では敗北した。超音速ジェット旅客機のコンコルドは、当時は驚異的な技術であったものの、購入したのは同機をともに製造していた英仏政府のみだった。

将来、何が価値を持つのか判断するのは、いつもできることではない。アップル社のニュートンは初期の携帯情報端末だったが、失敗製品として悪名が高い。コンピュータよりも高価であり、ある印象的な技術評論では、あまりに大きく重たいため、カンガルーしか携帯しないだろうといわれた。この失敗により、アップル社の最高経営責任者は辞任することになった。しかし、一〇年後には同じオペレーティング・システムがiPodに使われており、さらにニュートンと類似した複数の機能がiPhoneに取り入れられた。

失敗は個人的な代償をともなう。このため、イノベータは失敗に対応する戦略を作らなければならないが、その戦略は学習、反省、自己認識に対して失敗が持つ価値を個人として理解できるようなものでなければならない。同様に、組織も失敗の価値を認識し、その教訓から学習する必要がある。

学　習

イノベーションは、新たな製品、サービス、工程として現れる。これらほど物質的ではないが同じ程度に現実的なのは、イノベーションが未来に向けて選択肢を示し、また組織と個人の学習を促進することだ。

組織は定常業務について上達するため、新たな何かをおこなうため、そして学ぶことの必要性についても学習する。馴染みのある業務については、それらを実施することにより必然的に学習が起こる。何かをやればやるほど、一般的には熟達していくものだ。しかし急激あるいは破壊的なイノベーションは、多大な飛躍的進歩をともなない過去のやり方を粉砕するため、組織とその学習法にも大きな困難をもたらす。確立された物事の進め方や仕事のやり方は実際のところ、急激あるいは破壊的な様態のイノベーションからの学習を抑制するものだ。現状に注力すれば、プラスの、直接的な、そして予測可能な利益につながる。それに対して新規性のある製品に注力すると、利益は不確実で、その結果が判明するのも先のこととなり、そしてしばしばマイナスとなる。このことは、未知の選択肢を探索する代わりに、既知の選択肢を活用する傾向につながる。急激なイノベーションには既存の能力を不安定化する技術がともない、破壊的なイノベーションでは既存の顧客や確実な収益源からの離脱が必要となる。組織がこれらを避けようとするのには、説得力のある理由が存在するのだ。

ここで、リーダーシップが登場する。組織にとっては難しいが、その存続に必要なことをおこなうために、働きかけたりリソースを用意したりするのだ。審査時やプロジェクトの終了後におこなう評価でイノベーションの結果を前向きに認めること、そしてそれを組織内に広く伝えることにより、新しいかたちでの学習が支持されるようになる。イノベーションから生まれたプラスの結果が組織ストーリーや企業神話として記憶されるようになれば、機械的な繰り返しや制度化された慣例から離れるための取り組みが進み、あらゆるかたちでの学習が促進される。

雇用と仕事

イノベーションが雇用、そして仕事の量と質に与える影響については、ずっと議論され続けている。イノベーションによって農業部門から工業部門、そしてサービス部門へと、歴史的に大規模な総雇用の移動が生じたが、産業や組織への影響はそれぞれに独自の状況や選択によって決まる。

この議論そのものには長い歴史がある。アダム・スミスならば、市場規模の拡大が分業、機械による労働者の代替、そして潜在的な脱熟練化の機会を増大させると論じるだろう。マルクスにとっては、自動化は必然的に労働者の置き換え、賃金の低下、そして労働者に対する抑圧の増大につながるものだった。シュンペーターは、イノベーションが雇用を創出も破壊もすることから、縮小傾向の産業や地域と興隆しつつある革新的な新部門において、雇用とスキルのミスマッチが生じ、手間のかかる調整が必要になるとともに技能者の不足と失業の時代が続くことになると主張するだろう。

ある意見によると、製品とサービスにおけるイノベーションは雇用やスキルにプラスの効果を持ち、工程や運用のイノベーションはマイナスの効果を持つ。第5章でみるように、エジソンは「発明工場」では高度な技術を要する雇用を、製造工場では多数の非熟練雇用を創出した。技術を要する雇用は製品イノベーションと結びついており、思考することが重視された。それに対して非熟練雇用は工程におけるイノベーションと結びついており、そこでは機械が思考する必要性を減らしていた。しかし製造ラインに熟練労働者を置くことには価値があり、組織はしばしば、イノベーションをどのように活用するか選択することになる。どのように機械が設計され作業が計画されるかが、スキルの利用に影響するのだ。これらの選択により、また各種産業がイノベーションに対応して変化することで調節が必要となる結果、個人、雇用者、そして政府には、教育や訓練への投資を続ける大きな動機が生じる。

イノベーションが個人にとって恩恵にもストレスにもなりうることを、組織は理解しなければならない。イノベーションは刺激的でもあるし、戦慄するものでもあるのだ。刺激や動機を与えられるが、変化や地位を失う恐怖ももたらす。組織の一部が高報酬で満足感の得られる仕事を担当する一方、ほかは給与も低く満足できない状態にあるなど、イノベーションにより軋轢が生じることもある。特定の教育やジェンダーを理由に雇用へのアクセスが拒否されるといった、排他性を持つ可能性もある。

経済的利益

生産性とは投入（インプット）に対する産出（アウトプット）の指標であるが、資源がより効率的に使われれば上昇する。労働と資本への投資が増えると、生産性が向上する（つまり「もっと儲かる」)。イノベーション、そして技術と組織の改善が多要素生産性(MFP)として知られるものに寄与した場合にも、生産性は向上する(「費用対効果が上がる」)。究極的には、経済的な富は生産性の向上から生じるのであって、イノベーションがたびたび、これを推進する。たとえば、一九九〇年代の米国における多要素生産性の上昇は、情報コミュニケーション産業と、ほかの経済部門によるその製品利用と関連していた。近年における多要素生産性の向上は、多くが小売業や卸売業などのサービス産業で生じているが、その一部はデジタル技術の活用に起因しているといえる。

収益性を高めるには多くの要素があり、たとえば競合相手と比較するとどの程度、設計、製造、供給において優れているか、そして効率的か、特定のブランドに対する顧客の好みや、イノベータが求める収益に見合う価格を顧客が支払うつもりがあるかなどによる。イノベーションによって収益が生じるのは、製品やサービスを販売する際に、機能、価格、納入までの時間、性能向上の可能性やメンテナンスといった顕著な優位性があるためだ。イノベーションから利益を得るために知的財産を売却、あるいは利用を許諾したり、新しいスタートアップ企業を創設することもできる。研究開発、工場、機器類への投資を大規模におこなうイノベーション活動によって競争を抑止し、収益機会を向上させることも可能だ。

イノベーションへの投資から組織が金銭的な恩恵を得るためには、利益を計上しなければならない。状況によっては、特許、著作権、商標について定めた知的財産法によってイノベーションを保護することが可能だ。ほかの場合には、模倣が困難なスキルや行動、たとえば素早く競合相手の先手を打ち、秘密を保全し、重要な人員を保持する能力などによって保護できる。いずれにしても、イノベーションがもたらす収益はしばしば偏在しており、ほとんどの利益がほんのわずかのイノベーションから生まれている。

異なる部品やシステム間の相互運用を可能にする技術標準には、経済上の優位性がある。その標準を作りだしたり、標準に従った製品やサービスを提供する組織は、そうでない組織に対する優位性を持つのだ。

絶え間ない探求――ＩＢＭの場合

ＩＢＭ株式会社の歴史からはイノベーションを絶え間なく、広範囲にわたって、そして挑戦的に探究し続けた様子がうかがえる。同社は世界中でもっとも革新的な企業のひとつとして広く認められており、スーパーコンピュータ、半導体、超電導など多くの発見と開発に中心的な役割を果たしている。莫大なリソースをイノベーションに投資してきたのだ。毎年、何十億ドルも研究開発に支出し、どのような企業よりも多くの特許を作りだし、象徴的な製品やサービスを定期的に創出し、社員は五つのノーベル賞を受賞している。世界のほとんどの企業と比較しても、ＩＢＭはイノベーションにおける非常に大きな優位性を持っているが、同社によるイノベーションの追い求め方には、ほかの組織にとってとても学ぶ点がある。とくに、戦略とは継続的に進化するものであって、勝利の栄光に決して安住してはならない点だ。

ＩＢＭは一九二四年に法人化されたが、その歴史は一八九六年、ハーマン・ホレリスによるタビュレーティング・マシン社の設立まで遡ることができる。ホレリス（一八六〇～一九二九年）は、米国の国勢調査のデータ処理を機械化するため、電気とカード処理装置を使った機械を開発した。彼は機械を「ハードウェア」、カードを「ソフトウェア」と呼んだ。ホレリスはいっとき、米国国勢調査局に勤めており、データ処理の効率性を向上させる必要性をひしひしと感じていた。一八八〇年の国勢調査ではデータ収集と編集に七年を要し、一八九〇年の調査にはさらに長くかかるおそれがあった。ホレリスのタビュレーティング・マシンは、データ収集と管理を迅速化、効率化したい国勢調査局の要求に合致するものだった。このマシンを使うことにより、一八九〇年の調査データは六か月で分析され、何百万ドルもの節約となり、続けてカナダとヨーロッパの国勢調査でも使用された。一九一二年までにホレリスは事業を売却し、主席顧問技師としてはとどまったものの、しだいに会社との関係は希薄になっていった。何年ものあいだ、自身のマシンを改良して欲しいという国勢調査局からの要求やそのアイディアに応じようとしなかった。一九〇六年半ばにホレリスが保有する主な特許権が失効すると、国勢調査局は自ら作表機を開発し、一九一〇年の調査で使用した。タビュレーティング・マシンの技術性能の向上と、同社と顧客との関係改善には、一九一四年のトーマス・ワトソン登場を待たなければならなかった。

ＩＢＭの社長であったトーマス・ワトソン（一八七四～一九五六年）によって、同社におけるエレ

図版 4　IBM System/360，この開発に IBM は「社運を賭けた」。

クトロニクスの利用が進んだ。彼は、ハーバード大学の科学者、ハワード・エイケンが一九三〇年代におこなったデジタル計算機の開発研究のための資金を負担した。一九四五年にはコロンビア大学と協力して、ニューヨークに最初のワトソン科学計算研究所を開設した。これは今日、ＩＢＭトーマス・ワトソン研究所として続いており、世界最大級の企業研究所となっている。第二次世界大戦のあいだ、ＩＢＭは、とくに軍需品や兵站において米国政府と緊密な関係を築いた。

ＩＢＭを率いた四二年のあいだに、ワトソンは同社を主要な国際企業へと築きあげた。社長職は、息子のトーマス・ワトソン・ジュニアが引き継いだ。一九五〇年代後半から一九八〇年代にかけて研究開発に対する多額の投資をおこなうと、とくに一九六四年に発表されたシステム／３６０（図版４を参照）によって、ＩＢＭはメインフレーム・コンピュータの世界的リーダーとなった。同システムは、研究開発においてこれまで民間企業がおこなった投資のうち、実質ベースで最高額のもののひとつであり続けている。IBMの時価総額は当時、一億ドルだったが、システム／360の開発に五〇億ドルを投じた。トム・ワトソン・ジュニアは、この開発に「社運を賭けた」のだ。一九八五年までに、IBMは世界のメインフレーム市場の七〇パーセントを占めるようになっていた。ハードウェアとソフトウェアにおいて並外れた専門知識を有し、ビジネス・スキルによっても世界でもっとも尊敬される企業のひとつとなったのだ。

一九七〇年代半ばまでに、IBMはより小型のコンピュータを探求しはじめた。一九八一年に発表されたIBMパーソナル・コンピュータ（PC）は、システム／360と並んで前世紀におけるもっとも象徴的な製品のひとつであり、その本質はPCの大衆市場を作りだしたことにある。PCを生みだしたIBM開発グループは、それまでに三度、失敗を繰り返していた。開発を成功させるには、IBMが過去にとった、自社頼みとすべてを内製する戦略を捨て去ることが必要だったのだ。同社は、集積回路やOSソフトといった主要な構成要素を、小さな供給元から購入することにした。当初、PCは大成功であり、市場の四〇パーセントを獲得した。

しかし、一九八〇年代後半から一九九〇年代初頭になると、IBMは深刻な困難に直面し破産しかかった。IBMのPCそのものが、自らの死の種を蒔いてしまったのだ。同社はPCの構成要素について知的財産権を管理しておらず、小規模な供給元だったインテルやマイクロソフトが急速に成長してIBMよりも影響力を持つようになり、IBMの競合相手に自身の技術を提供した。

さらに、ＩＢＭの全社的な文化は、日本の製造業者との価格競争によって利幅が消失しているときに、歴史的な収益源であったメインフレームにいまだ傾注している状態だった。一九九二年一二月一六日付の『ニューヨーク・タイムズ』紙は、論説にて「ＩＢＭの時代はおわった……かつては世界でもっとも称賛されたハイテク企業のひとつだったが、追随者の役回りに落ち込み、業界を形づくる技術上の大きな力に対し、しばしば緩慢に、非効率にしか対応していない」と意見を述べたほどだった。ハーマン・ホレリスの隆盛と凋落の物語が、思い起こされる状況だったのだ。

ＩＢＭが「臨死体験」に対してとった対策は、新たな最高経営責任者を任命することであり、ルー・ガースナーが社外から初めて任命された。同社は、ビジネス戦略の大がかりな再編成と抜本的な変更をおこなった。ＰＣ事業を中国のレノボ社に売却するという劇的な決定をおこない、中核的な強みのひとつと考えられていたものを捨て去った。技術の供給者から、顧客が抱える問題に対する解決策の提供者へと、変質を遂げた。その目的は、たとえ競合相手の技術を使うこととなっても、顧客に対して、できうる最善のサービスを提供することだった。同時に、かつてのＩＢＭの強さが「科学技術的な思考様式」から生じていたため、財政的に苦しい状態ではあったが、研究への投資は将来にわたって続けるべきと決定した。より多くのイノベーションを、社内の技術コミュニティや研究開発センターから見いだすための調査も続いた。これらの内部ソースによって、メインフレームにマイクロプロセッサや並列アーキテクチャが用いられ、実質的な再開発となった。ＩＢＭはまた、かつての内向き視点と「ＮＩＨ」症候群〔自前主義のこと〕からの別離を試みるなかで、社外で生まれたアイディアをいっそう受け入れるようになった。自社が所有権を持つものよりもオープンソースの技術標準やソフトウェアを使い、技術開発における協力を増やしはじめ、毎年、他組織と多くの共同事業に着手した。同社による新たな「市場対応型」のイノベーションには、スーパーコンピュータ、eビジネス、ソーシャル・ネットワーク、ウェブ技術などがある。

IBMは今日、イントラネットとソーシャル・ネットワーク技術を多く用いて、社員のアイディアを利用し、共有している。科学者や技術者が半数を占めるおよそ三八万人の社員と、世界中に一二の研究所を持つ同社は、活用可能な技術スキルにも圧倒的なものがある。二〇一七年には九〇〇〇件を超える新たな特許を米国で申請したが、これはほかのどの企業よりも多かった。しかしながら、コグニティブ・コンピューティングのような新たな技術領域へ向かうにつれ、そしてクラウドサービスのように競争が激しい市場で競い合っていることから、同社は依然、多くの不確実性に直面している。このことは、技術の最先端にとどまり続けるのは難題であり、そしてイノベーションとは目的地ではなく道のりであることを明示している。

第4章　ステファニー・クオレクの新たな合成繊維

研究室から経済成長への道のり

イノベーションには、多くの人びとや組織が関わっている。革新的な企業を対象とした大規模調査、たとえばヨーロッパ連合（ＥＵ）による域内イノベーション調査は、多様な関係者の存在を示している。これらの調査はまた、さまざまなイノベーションの源泉を重要度によってランクづけしているが、そのもっとも重要なものは組織の内部に存在することも示している。イノベーションは主に、問題を特定し解決する従業員の労力、想像力と、彼らが持つ現場の知識から生じる。イノベーションを促しているのは、革新的な個人や職場、そして研究開発部門や新製品の開発を管理するツールといった、組織の公的な体制や手法なのだ。

イノベーションの源泉として次に重要なのは、これらの調査によると、製品やサービスの購入者や専門的なサービスを求めるクライアントであり、続けて製品とサービスの供給者である。見本市や展示会、職業上の大会や会合、学術誌や業界誌も、多くの企業が重要だと報告している。これらの調査においてもっとも重要性が低いとされたのは、大学と政府の研究所である。

これらのランクづけの背後には、よりいっそう複雑な構図が隠れている。たとえば、内生的なイノベーションに依存することにより、組織は内向きになり、市場や技術など外部で生じる変化に対応する準備が疎かになる可能性がある。イノベーションのアイディアを得るために購入者に頼ると、保守的な「事なかれ主義」的姿勢に陥りがちだ。大学は、科学に基礎をおく部門、また着想の初期段階にある革新的な製品、サービスが必要とする発明の提供者として非常に重要であるとともに、そのようなイノベーションを起こすスキルによる教育訓練を従業員にほどこしている。

ジョサイア・ウェッジウッドが示したように、イノベーションには通常、多くの異なる場所で生じたアイディアの組み合わせが必要だ。偉大な科学者、ライナス・ポーリングは、良いアイディアを得る最善の方法は、たくさんのアイディアを持つことだと語った。これと同じ考えが、複数の関係者でイノベーションを追求する場合にも当てはまる。シュンペーターは、イノベーションには市場、技術、知識の「新しい結合」が必要だと主張したが、このためにはしばしば、組織内の多様な部署や外部のいろいろな関係者のアイディアを統合する必要がある。イノベーションに対する刺激は、特定の源泉による階層的な貢献ではなく、アイディアを生む多数の源泉から生じる場合がある。不安定な時代にサバイバルが固有の必要性を持ち、衝動的に追求される環境では、それらのアイディアは互いに交わり境界も曖昧になる。

イノベーションにはまた、より大きな社会的、文化的、政治的、そして経済的な要因が影響する。これらには、都市や地域、政府の政策、また組織が所属し寄与している「イノベーション・システム」によるものが含まれる。ＩＢＭの事例は、イノベーションを追求する歴史のなかで、同社が多様な源泉を利用してきたことを描きだしている。ここから、イノベーションに対してさまざまに貢献する要因をみていくこととする。

起業家とベンチャー・キャピタリスト

ＩＢＭのような企業による大規模な活動に対して、イノベーションは、それを使って新しいビジネスを立ち上げようとする個々人の起業家からも生まれてくる。「起業家」という用語は一八世紀初頭に使われはじめ、機会を見つけだし、理解し、あるいは創りだし、次いで、その機会を利用するためにリソースを管理しリスクをとる個人のことをいう。ウェッジウッドは、起業家がイノベーションと経済発展に対して大きな貢献をなしうることを示している。

一八世紀のマシュー・ボールトン、一九世紀のトーマス・エジソン、二〇世紀のビル・ゲイツから二一世紀のセルゲイ・ブリンとラリー・ペイジにいたるまで、起業家たちに共通するのは技術系企業の創設と関連づけられることだ。これらの企業は、新たな産業を創出し古い産業を変革する、新規性のある技術をもとに急激に成長する。幾人かの起業家は、経済や社会そのものを変革してしまう。ボールトンとその共同事業者であるジェームズ・ワットは蒸気エンジンを開発し、世界で初めて工場を機械化し、産業革命の先導役を果たした。エジソンは、彼以外の多くの関係者とともに発電技術を開発し、ゼネラル・エレクトリック社を創設した。ゲイツのマイクロソフト社によるソフトウェアは、パーソナル・コンピュータを社会に広めた。ブリンとペイジによるグーグルは、インターネットの利用法を変革した。何よりマイクロソフトもグーグルも、仕事と余暇のありようを変えたのだ。

これらの例は、非常に例外的なものだ。米国だけでも年間五〇万社が新たに設立されるが、かりにあるとしても、このうちのごくわずかしかマイクロソフトやグーグルほどには成功しない。とはいえ、新しい企業の設立と、それら新企業が既存の企業に対してもたらす挑戦は、資本主義に不可欠の要素であり主要な貢献なのだ。シュンペーターはイノベーションに関する二つのモデルを区別していたが、「マークⅠ」モデルでは「古きを壊し、新たな伝統を創出する」起業家的な動きが、創造的破壊を進めるとされている。

シュンペーターの「マークⅡ」モデルは、起業家精神が、新企業と同様に既存の大企業においても生じる点を認めている。この背景には産業界の実態の変化があり、公式に組織化された大規模な研究開発が、一九二〇年代からその規模を拡大していた。このことから起業家精神とは、種類の異なる多くの企業や組織が機会を求め、発展させ、活用する組織的なプロセスであるとされたのだ。

状況によっては、起業家によるスタートアップ企業はベンチャー・キャピタリストから投資を受けるが、ベンチャー・キャピタリストには、小口金融業務をおこなう大銀行や投資銀行よりも大きなリスクを負う用意がある。グーグルやジェネンテックなど、ＩＴやバイオ技術分野において起業した米国企業の多くは、ベンチャー・キャピタルを受けて成功した。世界にはいろいろなベンチャー・キャピタルのモデルもあるが、米国のものが多くは典型的と考えられている。米国のベンチャー・キャピタルには民間の投資家や私企業からのファンドが入っている場合があり、それら組織のマネジャーが特定の技術部門に深い経験と知識を持っていて、スタートアップ企業のガバナンスに携わることもある。

ベンチャー・キャピタリストが多くの場合に狙うのは、早い段階で企業の株を取得し、買い手がついたり株式市場に上場できるほど企業が十分に成熟した際にエグジット（企業や株を売却して投資からの利益を確定する用語）して、巨額の利益を刈り取ることだ。ベンチャー・キャピタリストの投資ポートフォリオでは、利益の大半は限られた事例からしか得られないことが認識されている。一般的に、彼らが投資するのは新しい投機的なベンチャーではなく、より確かなベンチャーに対して、技術や市場の機会が的確に特定された場合においてである。

研究開発（Ｒ＆Ｄ）

イノベーションの源泉として、研究開発は常に重要ではなくとも、大きな存在だ。研究開発への投資により、組織は新しいアイディアの探求や発見を促進したり、外部の知識を吸収する能力を高めたりできる。研究開発には、好奇心が原動力であって応用にはあまり関心のないものから、非常に現実的な問題の解決を狙うものまで幅がある。研究開発への支出状況から、イノベーションを進めるための研究開発への取り組みが、国家、産業部門、企業のあいだで大きく異なることがわかる。いくつかの見積もりによると、世界では年間、約二兆ドルが研究開発に使われている。マクロ・レベルでは、情報通信産業や製薬を含む二、三の主要産業に投資が集中している。研究開発の絶対額では米国が主たる支出国だが、相対的な支出――通常、一国の国内総生産（GDP）のどのくらいを占めているかにより計測する――で評価すると、米国よりも小さなヨーロッパの国々、たとえばフィンランド、スウェーデン、スイスが先頭に並び、毎年、国内総生産の三パーセント以上を費やしている。近年、顕著な傾向として、韓国、台湾、中国などアジア各国における研究開発支出が急激に伸びている。世界の研究開発の九五パーセント以上が米国、ヨーロッパ、そしてアジア（とくに北東アジア）で支出されており、つまり多くの国々、とくに南半球の国々にとっては、研究開発という富の創出と成長の重要な源泉をめぐる競争で勝ち目がない状況なのだ。

研究開発支出の内訳を産業界と政府で分けてみると、国によって大きく異なっている。韓国や日本のように、産業界による支出が多くを占める国がある。ほかの国々、たとえばポーランドやポルトガルでは、研究開発への主な支出元は政府である。

一九六三年、経済協力開発機構（ＯＥＣＤ）において、研究開発の統計に関して一貫性のある各国データを揃えれば、政策決定に有用であろうと判断された。イタリアのフラスカティで開かれた会合の後、この内容は「フラスカティ・マニュアル」として知られるようになった。同マニュアルによれば、研究開発は、人類、文化、社会も対象とした知識の蓄えを増やすため、そして入手可能な知識の新しい使い方を講じるためにおこなわれる、創造的かつ体系的な作業から成り立っている。基礎研究と応用研究、実験的な開発も区別されている。「フラスカティ・マニュアル」は、各国の研究開発支出に関する一貫したデータセットの構築に役立っている。マニュアルは継続的に発展し改善されており、第七版が二〇一五年に作成された。しかしながら、研究開発協力やサービス分野における活動を計測するには、大きな問題が残っている。OECDはまた、国によるイノベーション調査の手引きとなる「オスロ・マニュアル」、科学技術人材の把握に関する「キャンベラ・マニュアル」、特許統計の利用に関する「パテント・マニュアル」を作成している。

ステファニー・クオレクの新ポリマー

ステファニー・クオレク（一九二三〜二〇一四年、図版5）は、何千人もの警察官や兵士を死や障がいから救った。伝統的な研究開発プロセスにより、防弾チョッキに使用される繊維であるケブラーを発明したのだ。史上最強の繊維のひとつであるこの製品には二〇〇を超える応用例があり、そのなかにはブレーキパッド、宇宙船、スポーツ用品、光ファイバー・ケーブル、ストーム・プロテクタ

図版 **5**　ケブラーの発明者，ステファニー・クオレク。

〔嵐などから人や物を防御する簡易式テント〕、防弾マットレス、風力タービンがある。この繊維により化学メーカーのデュポン社は毎年、数億ドルを生みだしている。しかし、もっとも知られるようになったのは、これを防弾チョッキに使用したためだ。国際警察署長協会とデュポン社は一九八七年、この製品により死や重傷から免れた警察官へ向けてケブラー・サバイバー・クラブを設立したが、このクラブには三〇〇〇名を超える会員がいる。ケブラーが持つ防御的な特性はまた、軍隊でも大きく活用されている。

クオレクは、ペンシルベニア州ニューケンジントンで生まれた。製鋼工の父親は彼女が子どもの時分に亡くなったが、熱心なアマチュア自然研究家だったその父親の好奇心をクオレクは持ち続けた。またクオレクは、人形用の服をデザインし作成するのに何時間も費やし、ファッションにとても興味があったと追想している。後にカーネギーメロン大学の一部となった大学で学んだが、医学を学ぶのは資金面で難しかったため、化学を専攻した。

クオレクは、デュポン社で働こうと決めた。同社は過去も現在も世界をけん引する、もっとも革新的な企業のひとつである。一九二〇年代、デュポン社は「新たな科学的事実の確立や発見を目的」として基礎研究に投資した最初の企業のひとつだった。一九三三年には合成ゴムのネオプレンを、一九三八年にはナイロンを開発した。第二次世界大戦のために男性の化学者が不足したことから、女性が化学業界に吸引されるようになっていた。クオレクは面談の際、他社の内定もあるので、いつ結果がわかるのかと強硬に尋ねた。仕事のオファーは、その晩に出された。

一九四六年、クオレクはデュポン社に就職した。デラウェア州のデュポン研究所に三六年間、勤めたが、それ以前にも四年間、ニューヨーク州のバッファローにあった同様の部門に所属している。彼女の仕事は、新しいポリマーとその製造法を開発することだった。着任して早々、クオレクは、タイヤを軽量かつより頑丈にするためのブレイクスルーとなる繊維を探す仕事を与えられた。当時、ガソリン不足に対応するため、自動車の性能向上が関心事だったのだ。ほかの複数の社員がすでにその仕事を打診されていたが、彼らは関心を示さなかった。クオレクは、男性の同僚は彼女の能力を認めてはいるものの、しばしば彼女のことを考慮に入れていないと感じていた。

しかしながら、彼女は職場の雰囲気と提示される挑戦を好み、また当時、わずかしかいなかった女性科学者のひとりとして、男性が戦争から帰国しても仕事を続けられるよう、非常に懸命に働いた。彼女は大きな独立と自由を与えられ、自身が望むことをおこなった。（クオレクは、今日の研究は非常に拙速で短期的であり、考えるための十分な時間がないと苦情を述べていた。）

クオレクは、縮合重合体〔重合体とはポリマーのこと〕を生成する低温工程を専門としていた。一九六四年に彼女は、特定の条件下で延長鎖《エクステンデッド・チェーン》芳香族ポリアミドの分子が液晶状の溶液となり、強靱な繊維として編めることを発見した。そのポリマーは白濁しており、細く、成果は望み薄だったが、彼女はそれを機械のところへ持っていき編んでみた。そのポリマーの性質はあまりに特異であり、これを考えもしないか気づかない人は廃棄してしまっただろう、とクオレクは述べている。紡糸機を担当していた技師は大いに懐疑的で、この汚染された物質により機械が詰まってしまうのではないかと考えていたが、最後には試すことを納得してくれた。ポリマーはうまく編まれて非常に強い製品となり、クオレクは自身の発見に確証が持てるまで、何度も試験を繰り返さなければならないほどだった。その特性に確信を得るまでは、彼女は誰にもポリマーのことを話さなかった。ケブラーは耐熱性があり、鋼の五倍の強度を持ち、ファイバーグラスの約半分の軽さである。

デュポン社は即座に、クオレクが開発した新しい結晶ポリマーの価値を確信し、パイオニアリング研究所が商用化を担当した。クオレクは、防弾装甲の実験をしていた同僚に繊維を少量、提供した。一九七一年、ケブラーが防弾を目的として発表された。このポリマーが非常に広い応用範囲を持つ理由のひとつは、その多用途性である。それは紡ぎ糸にも撚り糸にも、連続フィラメント・ヤーンにも、フィブリル化したパルプにも、シート状にもできる。クオレクが発明した新しい化学作用によってデュポン社は、スパンデックス製品のライクラや耐熱性のあるノーメックスなど、一連のほかの繊維も開発できるようになったのだ。

クオレクは自身が成功した理由を、ほかの人ができない見方で物事をみられたためだとしている。彼女はまた、次のようにも述べている。


発明のため、私は自身の知識、直観、創造性、経験、常識、根気、柔軟性、そして勤勉さを用いた。望ましい製品、その性質、その実現手段を心のなかに描こうとした。……発明のいくつかは、想定外の出来事、そしてそれらを理解し活用する能力から生じるものだ。


クオレクは、ケブラーの試作品に関する五件を含む一七の特許を所有している。数多の権威ある賞を受賞し、人類に恩恵をもたらした科学者や科学者以外の人びとを評価することが大いに必要だ、と語った。彼女はまた、警察官から彼の命を救った防弾チョッキへのサインを求められたとき、とても嬉しかったと認めている。

クオレクとケブラーは、企業の研究開発部門がイノベーションに貢献した象徴的な事例だ。それは同時に、いくつかの欠点を示してもいる。このポリマーの開発には一八年がかかっており、商業化には七年を要した。昨今、このような長期的アプローチを受容できる組織は、もし存在するとしてもほんのわずかである。

近年の基礎研究から生まれたもっとも重要な新素材のひとつにグラフェンがあり、多種多様な産業や用途に使用されはじめている。二〇〇四年に最初に発見されると、応用に焦点をあてた一〇年に及ぶ研究開発を経て、グラフェンは現在、プラスチック・エレクトロニクス、衣料、水浄化システムに使われている。また自転車のタイヤにも使われているが、従来のものと比較すると転がり抵抗が一〇パーセント低く、静止摩擦と穿刺抵抗も向上している。この素材は将来、航空機や自動車の軽量化、強靭化、したがって効率性の向上につながる可能性があるが、ケブラーと同様、基礎研究の用途を見つけるために長い年月がかかることもありうる。

顧客と供給者

イノベーションが成功するには、顧客やクライアントがそれを利用しなければならない。もし、新製品やサービスの利用者が自らが求めるものの設計に関与していれば、利用者の代わりに何かを設計している場合よりも概して成功の確率は良くなる。需要やニーズがすべて明確化され、イノベーションを作りだす人びとと、顧客や供給者とのあいだにある組織の壁を越えて完全に伝えられることは決してないが、関係者の積極的な関与によってこれらの障害は克服される。

医療機器などいくつかの分野では、イノベーションの利用者が通例、イノベータでもある。外科医や医療従事者が、自身の仕事をより良く成し遂げるための新しい道具や技術に関するアイディアを、常に提供しているのだ。埋込型の聴覚器を製造する世界最大のメーカーであるコクレア社は、医学研究者だったグラエム・クラーク教授からはじまったが、彼の父親は重度の聴覚障がい者だった。クラークは、補聴器が助けとならない聴覚障がい者の苦痛に非常に敏感であり、彼らの生活を向上させようと駆り立てられていた。

また、ある推計によると三〇歳以上の全男性のうち、四分の一が睡眠時無呼吸を患っているが、これは潜在的に危険な呼吸の乱れが睡眠時に生じる状態のことだ。医療用の呼吸装置が、この問題への対応に役立つ。世界最大の呼吸装置メーカーであるレスメド社のはじまりは、病院の睡眠外来で働いていた医療研究者、コリン・サリバンにある。彼は、定期的に鼻腔へ空気を吹き込むことにより、睡眠時無呼吸の問題を解決した。患者や彼らのパートナーにとって幸運だったのは、設計のたゆまぬ向上によって、ガスマスクと掃除機からできていた当初の装置から大幅な改善がおこなわれ、現在の目立たず静かな装置になっていることだ。

企業のなかには、新製品の設計に顧客を参加させる労を惜しまないものもある。ボーイング社が777型機を開発した際、市場に存在する需要を把握しようと、主な顧客であるユナイテッド、ブリティッシュ・エアウェイズ、シンガポール航空、カンタスを巻き込んだ。同社には、航空会社が好む経路上での最適な乗客数を知る必要があったのだ。しかしこの方法は、航空機の利用者が何を求めているか理解する点でも有効だった。つまり操縦士、乗務員、整備士、そして清掃員である。乱気流のなかでコーヒーを用意する客室乗務員や、アラスカでマイナス四〇度の真夜中に、あるいはジッダで五〇度の真昼に、機体外の部品を修理する整備士の問題を理解しようと意図していたのだ。同社が

787型機を開発した際は、ウェブサイトを作って世界中の関係者から即座に設計プロセスへの意見が得られるようにした。約五〇万の人びとが、この航空機の名称を選ぶために投票した。これが、ドリームライナーである。

ソフトウェア会社もしばしば、製品を試作品である「ベータ」版として公開し、ユーザーがそのソフトウェアをあれこれと操作して改善点を提案できるようにする。根本的に、製品の最終仕上げを顧客がおこなっているのだ。この戦略は製品がプロプライエタリである場合、つまり企業がそこから利益を得ようと意図している際にとられる。オープンソース・ソフトウェアの場合は異なっており、ボランティアのプログラマによるネットワークが開発、メンテナンスや継続的な改善をおこなう。たとえば、ウェブ・ブラウザのモジラ・ファイアーフォックス（Mozilla Firefox）やOSのリナックス（Linux）だ。

製品の改善プロセスに顧客を入れないのは、非常に近視眼的なことといえる。ソニーがロボット犬AIBOを開発したとき、ソフトウェア・コードを秘密にした。ハッカーのコミュニティができあがっていき、このロボットのためにはるかにいろいろな動きが開発され、いくつもの愉快なダンスなどは、AIBOを顧客にとってよりいっそう魅力的な製品にした。ソニーはハッカーを訴え、このコミュニティを閉鎖したが、すぐに間違いに気づくこととなった。外部で開発されたソフトウェアから学ぶことができると理解したのだ。同社はもはやAIBOを製造していないが〔二〇一八年にaiboとして復活、販売が開始された〕、その後継製品は、視覚化の分野でこのロボット犬のために開発された技術を活用している。

顧客が、イノベーションを阻害することもある。保守的になり自己満足してしまい、新奇性やリスクのない方法に囚われてしまうことがあるのだ。クレイトン・クリステンセンは、「イノベータのジレンマ」を明らかにしたが、これは顧客の意見を聞きすぎるという問題だ。顧客が持つ直近の需要にのみ反応していると、イノベータは技術や市場で起きている大きな変化を見逃しがちになり、いずれ廃業へ追いやられてしまうことがある。ここに、イノベーションを回避するという安全で短期的な選択肢を追求するよりも大きな利益を生むとの信念から、イノベーションを進めるリスクをとる用意がある「リード・カスタマ」、政府、企業、また個人が協働するメリットが存在する。一九八〇年代、ロイ・ロスウェルはボーイング社とロールス・ロイス社の関係を「手強い顧客とは、つまり良い設計である」と表現したが、それはつまり、ボーイング社が航空エンジンの供給者に対しておこなった困難な要求こそが、ロールス・ロイス社により良い製品を設計させ、製造させたという意味だ。

革新的な供給者も、新しいアイディアにとって重要な刺激剤となる。自動車産業では、自動車の価格のうち、かなりの割合が供給者からの部品購入によるものであり、トヨタの場合には自動車の総経費の七〇パーセントにのぼる。トヨタは日本電装と緊密な関係を保っているが、同社は照明装置やブレーキ・システムなど、革新的な製品を供給する大規模部品メーカーだ。ヨーロッパの自動車産業では、自動車部品を供給するロバート・ボッシュが同様の役割を担っている。

大きな自動車メーカーはウェブサイトや技術に関する会合、展示会などを含めた非常に多くの手法を用い、自社が抱える問題に対して供給者が革新的な解決策を提供するよう促している。革新的な自動車とは、自動車メーカーへ革新的な部品を供給する者があって成立するものなのだ。自動車を製造するメーカー、あるいは、異なる要素からなるシステムを統合する責任を負っている組織の仕事は、設計の構成（アーキテクチャ）やシステムへ部品を確実に適合させると同時に、モジュールや部品の供給者によるイノベーションを奨励することなのだ。

多くの政府にとっても、革新的な供給者に対する支援は重要な目的となっている。米国の中小企業技術革新プログラム（ＳＢＩＲ）では、政府の莫大な調達予算を用いて革新的な製品やサービスを購入し、小規模企業を支援している。この政府スキームによって、初期段階のスタートアップ企業によるイノベーションに対し、米国のベンチャー・キャピタル産業よりも多くが投資されている。

協力者

イノベーションが単一の組織による活動から生じることはまれであり、より一般的には二つ以上の組織の協力によるものだ。多くの組織にとって、イノベーションに関わるために協力するメリットは、イノベーションからの利益を分け合うコストを上回る。協力の形態には、合弁事業やさまざまなタイプのパートナーシップ、業務提携、そして合意された目的へ共同でコミットすることに言及した契約がある。顧客や供給者、他産業の組織、また競合相手ですら協力者となりうる。これらは世界の先進工業国における特徴であり、協力のいくつかは何十年も続いている。

組織が協力するのは、イノベーションのコストを削減し、既存のものとは異なる知識セットやスキルを入手し、協力相手から新たな技術、組織の慣行、戦略を学ぶ機会として活用するためだ。環境が不確実で徐々に展開していく場合、協力してイノベーションに取り組んだほうが、単独で取り組むよりも成功の確率は高くなる。情報、コミュニケーション、その他の技術が、協力をいっそう安価で容易なものとしている。世界中の政府がイノベーションの源泉として、協力を積極的に推進している。そして組織も、そのイノベーション戦略において自分頼みを減らし、協力をいっそう受け入れるようになっている。

状況が異なれば、うまく働く協力のかたちも異なる。協力目的が明確な場合やコストの急減が焦点である場合は、似通った組織間の協力のほうがよい。誤解や意思疎通の問題が生じる機会が減るのだ。目的が徐々に現れる場合や、探索と学習である場合には、異なる種類の組織による協働にメリットがある。同質性よりも多様性から、より多くが学べるのだ。協力者の数が多くなると、取り組みの規模も大きくなる。反対に、協力者が少なくなると、スピードが上がる。

協力のマネジメントは難しい場合もある。互いに異なる優先順位や組織文化を持つ可能性があるからだ。おそらくはつくり話と思われるが、次の逸話が示すように、誤解が生じる機会は数多く存在する。何年か前、ＩＢＭとアップル社の社員グループのあいだで、協力しようとの提案があった。初会合の前、ＩＢＭの社員たちはこの件にどう臨むか議論した。青色のスーツが勤務日の定番である自分たちが堅苦しいと評判であることを意識して、彼らは、ふだんはカジュアルな装いのアップルの社員が気楽にいられるように、打ち合わせには週末の服装で行くことにした。ジーンズとトレーナーで彼らが到着すると、アップルの社員が新しく買った青色のスーツを着て、居心地悪そうに座っているのを見つけたのだった。このような話が同じ産業、同じ国の組織に起こりうるということは、異なる産業や国家間の協力の場合にどのような問題が起こりそうか、非常によく示している。

大学

著名な社会科学者でカリフォルニア大学の学長だったクラーク・カーは、非常に先見性が高く、経済発展における大学の重要性を明らかにして、一九六三年、次のように著した。

大学による不可視の産物である知識は、単一の要素としては、われわれの文化においてもっとも強力なものである……大学にいまほど、知識の生産が求められたことはかつてない……。大学にはまた、かつてないほど多くの人びとに知識を伝えることが求められている。

カーは、経済成長には新たな知識がもっとも重要な要因であると論じ、新産業の創出や地域の成長を実現するために大学が果たす役割を強調し、顧問を務めたり産業界と密接に協働する起業家的な教授が貢献していると力説した。それから何十年もたつあいだに、政府や企業も大学に対してますます、知識を経済活動へ積極的に変換するために精力を注ぐよう促してきたが、この方針は、大学もしばしば熱心に支持しているものだ。現在ではこのような活動の位置づけが高まり、その結果、大学の機能として研究や教育と同じ重要度を持つにいたったという者もいる。どのように知識が産業界へと移転され、大学がイノベーションに貢献するのか、しばしば過度に単純化して考えられているが、市場へといたる道筋は複雑、そして多面的で、捉えづらいものだ。アイディアや知識とは大学が作り産業界へ「伝達」されるものだという考えも、ともに創りだされやり取りされるものだという見解にとって代わられている。

教　育

大学は、スキルを持った学部生、大学院生、ポスドク研究者を教育し、勤労者が新たなアイディアを創出し利用する能力を備えられるようにする。電機、化学、航空、情報技術などの新産業が発展した成功の歴史をみると、その大部分は、とくに工学と経営学の分野で求められる新たなスキルを持った大学院生が、大学から十分に供給された結果だ。産学間の知識交換にとって最良の形態は二本足で歩いていくこと、つまり問題解決能力を持つ人びとが大学から産業界へ移動することだといわれている。

イノベーションに貢献するのは、科学や技術分野の大学院生にかぎらない。シリコン・バレーでは、さまざまな機会に哲学者や人類学者が求められてきたし、クリエイティブ産業は人文系の学生を多く雇用している。ビジネス・スクールではますます、すべての専門分野の学生に対してイノベーション経営と起業の授業をおこなうようになっている。企業が成功するために、特定分野の深い知識を持つ「I」型人材と、特定の専門とともに幅広い知識を持つ「T」型人材の組み合わせが必要であると、経営学者の何人かは強調する。「T字型に横切って」さまざまな分野のつながりをみる能力はイノベーションに対する大きな刺激となるが、教育者にとっては複数分野の知識を教えるのは無論のこと、それらのあいだのつながりも教えなければならないため、大きな挑戦となる。

専門学校もイノベーションに重要な役割を果たしており、たとえば技師を訓練しているが、彼らは試作品や器具を製作し、またときどきはそれらを自身で商用化したりもする。

科学と研究

科学は、ラテン語で知識を意味する「スキエンティア」(*scientia*) からきているが、最初の文明以来、人類の発展を特徴づけてきた。しかしながら、産業イノベーションへの科学の応用が熱心におこなわれはじめたのは産業革命期であり、もっとも顕著になったのは最近一五〇年ほどのことである。

研究を区分する伝統的な方法のひとつは、「フラスカティ・マニュアル」にもあるが、「基礎」研究と「応用」研究である。前者は好奇心が推進力だと考えられており、応用については考慮しておらず、とくに大学の関心事項である。後者は特定の用途へ向けられたものと信じられていて、通常は産業界において探求されている。だが基礎研究にかなりの投資をする企業もあるし、医学や工学といった専

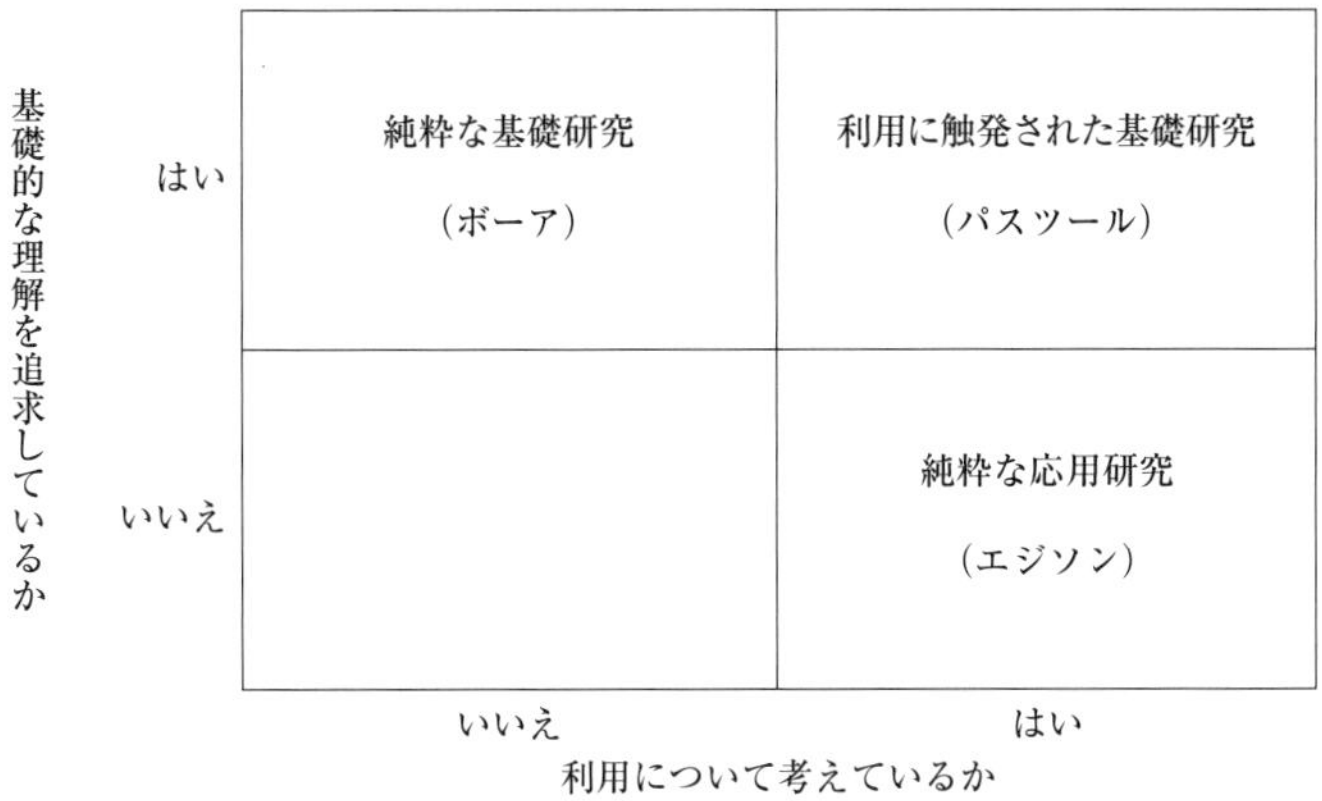

	利用について考えているか	
基礎的な理解を追求しているか	いいえ	はい
はい	純粋な基礎研究 （ボーア）	利用に触発された基礎研究 （パスツール）
いいえ		純粋な応用研究 （エジソン）

図版 **6**　ドナルド・ストークスによる「パスツールの象限」（1997年）。

門職的な学部では、大学も大々的に応用研究をおこなっている。

さらには、理解への欲求に動かされる「純粋な」基礎研究と、利用を目的とする応用研究という古典的な区別では、ドナルド・ストークスが論じたように、理解の増進と有用性の双方を目的とする第三のカテゴリが把握できない。ストークスはこのカテゴリを、利用に触発された基礎研究が占める「パスツールの象限」と呼んだ（図版6を参照）。パスツールの微生物研究は、常に役立つ応用に関心をおいていたが、同時に科学的理解の新分野を創りだした。ストークスはこの例を物理学におけるボーアの研究と対比させたが、ここでは、〔ニールス・〕ボーアによる原子構造の理解が量子力学の理論を発展させる基礎となった。またエジソンの研究は利用と利潤に突き動かされていたが、そのエジソンもまた、理論の影響を受けていた。エジソンの象限とパスツールの象限では、研究とイノベーションのあいだに直接的かつ明確なつながりが存在する。それに対してボーアの象限では、そのつながりはあるかもしれないしないかもしれず、かりに実現したとしても、予期も想像もしていなかった領域で生じることになるのだろう。これは想像だが、量子理論がレーザーの説明に利用されたり、情報を蓄えるために亜原子粒子の量子状態を活用する、未来の量子コンピュータの基盤となる可能性を持つ様子など、ボーアは少しも認識していなかったのかもしれない。

同様に、一九五三年四月二五日の『ネイチャー』誌に掲載された短いレター〔論文の一形態〕において、〔ジェームズ・〕ワトソンと〔フランシス・〕クリックは控え目に、次のように述べた。「われわれは、デオキシリボ核酸（DNA）の塩基構造についてご提案したいと思います。この構造はいままでにない特性を持ち、これは生物学上の関心として注目に値するものです」。つまり彼らは、二〇年以上も後に出現することになる大きな商業的関心や、彼らの発見からバイオ技術やゲノミクスが発展し、古い産業が改変され新たな産業が創出されることなど、想像していなかったのだ。

実際には、基礎研究と応用研究は連続体として存在する要素であり、互いに多くのつながりを持っている。基礎研究における発見から応用研究が生まれることもあるし、既存の技術がどのように動いているのか、その説明のために基礎研究がおこなわれることもある。純粋な基礎研究から生まれたもっとも有用な成果のひとつは、実験支援用に開発された機器類だ。コンピュータ、レーザー、そしてワールド・ワイド・ウェブも、この目的のために開発されたもので、今日、いたるところでみられるイノベーションとなっているような、産業利用の可能性などはほとんど認識されてもいなかったのだ。

地球温暖化、持続可能なエネルギー、食の安全や遺伝子工学といった、世界でもっとも複雑な科学的・社会的な問題について私たちが考えるとき、その答えは、大学が進展させる基礎的理解と産業界におけるその実用化にあるということだろう。

外部とのつながり

ジョナス・ソーク博士はかつて、彼が開発したポリオ・ワクチンの所有者は誰かと繰り返し尋ねられた。彼の答えは、「強いて言うならば、人びとでしょう」だった。このような反応は、今日では考えづらい。一九八〇年に米国でバイドール法が成立し、公的資金による研究の成果を研究機関が所有できるようになって以来、先進国の大学は自身の研究による金儲けに没頭するようになった。これは通常、特許により保護され企業に利用が許諾された知的財産、あるいは大学とは別会社であったり大学が一部を所有しているスタートアップ企業のかたちをとる。とはいえ検証してみると、このような商業化モデルによる成功例は、数が限られていることがわかる。いくつかの目覚ましい成功物語の一例には、バイオ技術企業のジェネンテックがある。同社は、スタンフォード大学の組換えDNAに関する発見を商業化するため一九七六年に設立され、二〇〇九年にスイスの製薬企業へ五〇〇億ドル弱で売却された。しかしながらこのような企業は、大学が進める起業活動の全体からすると、ほんの小さな一部にすぎない。

政府や、何より多くの大学そのものが注視しているのは、特許や利用許諾、受託研究や共同研究、そして起業支援センターや起業家センターだ。同様に重要なのは親睦やネットワーキング活動であり、これらは新発明やその応用可能性について産学間で「対話」するためにきわめて重要である。多くの企業、とくに中小企業が大学と協力する目的は直接的な問題解決にあるが、大企業になると、将来の研究の方向性を学ぶために、大学とより広範な意見交換に取り組むことも多い。企業側からすると、大学と協働する魅力は大学が持つ異文化にある。大学職員には新しいアイディアについて考え、試すための時間がより多くあるからだ。

大学や研究機関は独創的なアイディアや知識の創出と伝搬に貢献しているが、自分たちに何ができるかを伝え続け、また外部機関とどのように関わるのがもっとも良いのか、評価し続けることが必要だ。相手が政府、企業、また慈善活動団体であっても、大学や研究機関が自身の幅広い貢献の模様をきちんと説明しなければ、イノベーションの供給者としての大学や研究機関への投資を期待することはできないだろう。

地域と都市

イノベーションは特定の場所に局地化して集積するが、スタッフォードシャー製の陶器はその一例だ。これには経済的な理由があり、近接していることで取り引きや運送にかかるコストが下がり、密接に結びついた企業間では互いについての認識や知識が向上するため、イノベーションの創出と普及が促されるのだ。イノベーションは社会的・文化的な理由でも集積するが、これは互いに関係を持ち一体感のある集団において、アイデンティティが共有され信頼感が高まるためでもある。とくに、知識が複雑あるいは暗黙のもので書き表せない場合は一カ所にとどまりうまく移動しないことから、近接性によってコミュニケーションも容易になる。

もっともよく知られたイノベーションの集積地は、サンフランシスコ近郊のシリコン・バレーである。ハイテク企業が集まりハイテクな雇用もあるが、この地域によって世界中が刺激され、数え切れないほどの、そしてしばしば失敗におわる模倣を試みることにもなった。シリコン・バレーの発展と成長には、多くの要素が関与している。政府は、産業発展を刺激するために現地の大学へ土地を供与することにはじまり、防衛市場におけるハイテク製品の大規模顧客になることまで、中心的な役割を果たした。各大学はその研究によって貢献し、また科学者、技術者、起業家の教育訓練をおこなった。スタンフォード大学のような機関は、電子工学やIT分野などの企業に対し、学術関係者が積極的に関与するための方針を自ら作りあげた。多数のハイテク企業が新たに作られ、いくつかはヒューレット・パッカード、アップル、インテルのような主要企業へと急速に成長したが、これは、高度なスキルを求められ移動性の高い労働市場が就業者に魅力的であったこと、大学による研究とつながっていたこと、ベンチャー・キャピタリストや弁理士といった専門的サービスへのアクセスが容易であったことに助けられている。これらの要因がひとつの地域文化、あるいは「バズ」(buzz)につながっているが、それは技術を中心に据え、リスクを好み、非常に競争的なものであって、独創性と報酬の好循環を創りだしている。膨大な富とイノベーションや起業における幅広い経験が生まれ、新たな独創性へと再投資されてもいる。

イノベーションの中心となるのはしばしば、地域ではなく都市である。紀元前五世紀のアテネから一四世紀のフィレンツェ、世紀末の一九世紀パリまで、都市は歴史を通じてさまざまな段階で創造性とイノベーションに関わってきた。

イノベーションの需要と供給における貢献の大半は、都市によるものだ。特許のほとんどが都市から生まれ、研究開発は都市でおこなわれ、ほかと比較して高い都市部の可処分所得が、イノベーションのより旺盛な消費を確かなものにする。オックスフォードやハイデルベルクなど、都市のいくつかは学習の中心地として著名であるし、シュトゥットガルトやバーミンガムなどは工学的な発明の才で、金融やサービスにおけるイノベーションならばロンドンやニューヨーク、創造性やデザインであればコペンハーゲンやミラノといった都市が有名だ。ほかの都市のいくつかは、インドのバンガロールやハイデラバードのように特定の技術に関する専門知識で、あるいは台湾の新竹や中国の江蘇、深圳、中関村のように、技術分野での起業に対するサポートによって知られている。市政府の多くが、ほかの都市との世界競争で比較優位に立てるようなイノベーションを特定し、活用する政策に力を注いでいる。その多くはシリコン・バレー型の技術中心モデルが持つ魅力を盲信しているが、健康やファッション、メディアを強調するなど、異なる臨み方をしている都市がある点も重要だ。都市におけるイノベーションの問題についいては、第６章でさらに説明する。

政府

イノベーションを政府がどう支援するか、その役割に関する議論はたいてい、政治的イデオロギーを反映している。多くの国々でイノベーションへの国家による介入は必須と考えられており、たとえば、イノベーションを経済や社会の発展に非常に重要と考えるアジアの国々は、ほとんどがこれに該当する。それに対して米国のように、少なくとも言葉のうえではより「自由市場」的な国々においては、政府には「どれが成功事例なのか決められない」とよくいわれており、政府の介入に対しては疑念が持たれ避けられている。とはいえ、過去における意見の二極化、つまり、一方は介入を是とするイノベーション政策が市場を歪め非効率をもたらすとする意見、もう一方はそのような政策が堅実な経済計画と効率的な産業政策に必須の要素であるとする意見は、今日では現実主義的な中庸に落ち着きつつある。政府はイノベーションにおいて重要な役割を果たすが、政策は選択的であるべきと考えられているのだ。

イノベーション政策以外にも、政府は多くの方法でイノベーションに寄与している。経済が安定し成長していれば、企業や個人はイノベーションへの投資やリスクに備えやすくなる。将来に対する信頼感を構築するには、効果的な金融財政政策がきわめて重要だ。企業や個人がより裕福な国は、イノベーションでも優位なのだ。良い教育政策によって、イノベーションの機会を創出し、評価し、実現するスキルを持った就業者や起業家が育成される。教育の行き届いた市民であれば、イノベーションに関する国内の議論に貢献し、いずれの科学技術ならば受け入れられるか、新製品やサービスがどのようなものとなるべきか決定する能力も高くなる。研究への政府投資は、先進国では研究開発にかかる総支出のうち平均して三分の一ほどを占めるが、イノベーションのための多くの機会を生んでいる。これらの投資ではしばしば、民間部門の投資よりも長期的な視点に立つことが可能だ。競争的な政策によって、独占企業がイノベーションに対する障壁を作れないようにできる。貿易政策によって、新奇性のある製品やサービスの市場規模が大きくなる。知的財産法はイノベーションの誘因となる。環境保護などの分野における規制は、イノベーションの追求を刺激する。政府が集めた情報への自由で開かれたアクセスは、イノベーションの機会を増大させる。デジタルによって高度につながった世界においては、データ収集と利用の際にプライバシーが保証され、倫理的な実施規則が用いられるように政府が動かなければ、イノベーションを阻害してしまう。開放的な移民政策によって海外から才能が流入し多様性のもととなるが、これらは革新的な思考にとって重要なものだ。労使関係に関する法律によって、公正、安心、そして参加型の職場づくりが進められ、イノベーションを促進する。

政府は調達を通じてイノベーションを促進することもでき、いかなる国においてもイノベーションの一番の購入者となっている。情報技術、インフラ、製薬、それ以外の多くの分野でも、公的支出は民間部門による支出を上回っており、それゆえに政府による購入がイノベーションに対する主要な刺激剤となっているのだ。

政府によるリーダーシップも、イノベーションを促進する風潮や雰囲気をつくることができる。政治の論調が未来志向型で野心的な場合、現状に安穏とし、また安心していたり過去を美化するビジョンと結びついている場合よりも、イノベーションを助けるものとなる。この点については、ジョン・F・ケネディの「有人月飛行」計画、ハロルド・ウィルソンが語った「白熱した」科学技術革命、あるいは習近平主席の中国経済近代化へ向けたイノベーションのビジョンと命令を考えてみるとよいだろう。公務員は、ほんのわずかなミスやリスクをとる行動に対する非難を恐れずにすむ場合、イノベーションを支援する傾向が強くなる。

こういった形態の支援とは別に、政府の多くは特定のイノベーション政策を策定する。過去におけるこれらの政策は、とくに支出規模の点から研究開発に焦点をあてる傾向があり、多くは税額控除のかたちをとっていた。つまり研究開発に支出することで、企業にとっては減税となるのだ。イノベーションを促進するために設計された政策には、ほかにも非常に多くのかたちがある。たとえば、特定のイノベーションの利点を示すためのデモンストレーション制度、組織によるイノベーション能力の向上を手助けするコンサルティング制度、イノベーションのために補助金を交付したりベンチャー・キャピタルから調達できる資本を増やす投資制度、そして研究とビジネスの連携を助ける仲介組織の新設などだ。

政府によるイノベーション政策を正当化する多くの議論が、支持されてきた。それらのなかでもっとも効果があるのは、国家間競争に対する懸念だ。たとえば一九八〇年代、半導体分野において日本の競合相手が支配力を増していたとき、米国政府の対応は、米国製造業による資金潤沢なコンソーシアムであるセマテックを創り、競争力のある技術を生みだすようにしむけることだった。同時期の情報技術産業においてヨーロッパ全域にまたがる多くの計画が生まれたが、これは日米の競合相手に対抗できる能力をヨーロッパに構築することが狙いだった。イノベーション促進策といわれるもののなかには、単純な形態の産業支援、つまり慈善的な色彩を薄めた企業助成もある。重要度の低い選挙区にある弱体化した自動車製造業界を継続的に支援する計画は世界中にあるが、その好例といえるだろう。

政府による介入の正当化は、その多くが「市場の失敗」に関する議論のかたちでおこなわれる。そのような際には、研究開発によって生まれた知識は、これに投資するリスクをとった者の競争相手にも安価で入手できるとされる。それゆえ、投資に対する「公的」利益が「私的」利益を上回ることになり、このために投資が過少となる傾向がある。この市場の失敗に対処するため、政府は企業の研究開発に対する財政支援を正当化するのだ。

この支援形態ではイノベーション政策へ政府が大量に投資することが前提だが、限界もいくつか存在する。第一に、研究開発が対象だが、これはイノベーションへのインプットのひとつにすぎず、多くの産業や状況においてもっとも重要なものというわけではない。「研究開発」と解釈されるものも限られており、ソフトウェア開発や試作など、イノベーションへの重要なインプットは除外されている。第二に、公的な利益を得るために必要となる投資についての誤解がある。他者による研究開発を入手するために企業が持つ能力には、コストがかかっている。新しいアイディアを吸収できるようになるためには、受け手にも投資が必要なのだ。第三に、かりに市場の失敗によって研究開発に対する投資が最適なものとならないのであれば、ある最適なレベルが存在するはずだが、これが何なのかについてはほとんどエビデンスがない。第四として、研究開発支援の届け方がきわめて定型的で、多くは、研究開発の成果ではなく支出に対する税額控除のかたちをとる。政府の資金を用いずに投資がおこなわれた研究開発について、さらに研究開発を続ける場合には、滅多に支援はおこなわれない。税の控除は産業に関係なく幅広く適用されているが、これは戦略的にターゲットを選ぶ能力がないためだ。さらに、申請や手順を遵守する手間はたいていの場合、資源集約的であるため、支援対象として通常、より適切な小規模申請者ではなく、大規模で多くのリソースを持つ者が有利となる。

政府によるイノベーション政策に関するもうひとつの問題は、システムとしての失敗の観点から指摘できる。国家イノベーション・システムがたいていの場合、実際には流動的で予測不能なものであるにもかかわらず、政府がそれを機械的で予測可能とする見方は危険だとの意見はあるが、政府の視点からシステムを構想することには価値がある。政府は、国家イノベーション・システムについて俯瞰的な視点を持つことができ、また、このシステムが全体としてどのように作られ機能するか、影響を与えることができる唯一の主体だ。政府には、パフォーマンスを評価し、齟齬や弱点を見つけ、連携を築くための制度や政策を支援することができる。国家イノベーション・システムにまつわる政策づくりの課題は、システムが何をするのか、またおそらくより重要な点としてシステムが何をすべきなのかよりも、システムの構成要素の説明に多くの注意が向けられていることにある。

イノベーション政策に対する基本的な評価基準は、その政策がどの程度、経済や国家イノベーション・システムにおいてアイディアの移動を促進し助けたか、アイディアがうまく結びつけられ実現される可能性を高めたかである。アイディアはさまざまな方向へ移動するが、それらはしばしば、予測不可能なものだ。製造業、サービス産業、資源産業のあいだであったり、公共部門と民間部門、科学、研究、産業のあいだ、あるいは研究のネットワークや製造業の供給網を通じて国家間を移動したりする。したがってイノベーション政策は、アイディアの移動促進、アイディアを受け取り活用する組織の能力、そしてイノベーションを起こすさまざまな主体間の効果的な連携を阻害する要因に、注意を払わなければならない。

アイディアの移動を促進する方法には、情報や公的資金が助成された研究成果の無償公開、知識の利用者と供給者をつなぐ「仲介者」の制度、革新性を持つ投資を刺激するか、少なくとも阻害しないようにするための規制、取り引きを促すために所有権に信用を与える一方、独占的地位を得たことが意欲の喪失につながらないようにするという困難な問題に、適切に対応した知的財産関連の法規がある。イノベーションを組織がどのように受容するかは、受け手のスキル、体制、経営の質によって異なる。研究開発向けの減税のように大ざっぱな政策的取り組みの有用性は、新しいアイディアを選び利用するための組織的能力を、その質と量において高めるという程度であるにすぎない。

システム

一九七〇年代から一九八〇年代に日本の産業がみせた信じがたい成功について、その理由が探られた。ある分析は、経済の多様な要素を国家イノベーション・システムへと組織する日本の能力が原因だと論じた。この見解に従うと、日本政府が中心的な役割を果たして、重要かつ生まれつつあった産業技術分野に対する大企業の投資を調整したことになる。たとえば家電製品における日本の強さは、新技術に関する世界中での情報収集と、東芝や松下といった大規模エレクトロニクス企業による取り組みの組織化を、新たな機会を活用するために通商産業省〔現経済産業省〕が非常に効果的におこなったためと信じられていた。この面における日本国政府の能力は誇張されていたが、政府の役割がたしかに影響力を持っていたことから、研究者たちは国家の制度や特性がイノベーションに与える効果について考えはじめたのだった。日本の成功を説明する試みは続けられ、主なプレーヤーの役割や彼らの相互作用のなかでもっとも重要なものは何かを理解し、国家レベルでのイノベーション促進に必要な能力を見定めようとした。

国家イノベーション・システムに関する初期の研究には、二つのかたちがあった。ひとつは、米国を主な対象として経済や法の視点をとり、研究、教育、財政、そして法といった国家の重要な制度に焦点をあてていた。効果的な国家イノベーション・システムの特徴として、産業界に新たな選択肢を提供する質の高い研究、適性の高い大学院生や技師を輩出する教育システム、リスクの高いプロジェクトや成長過程にある新たな投機的事業への投資に利用可能な資本、そして知的財産権に対する強力な法的保護が考えられた。もうひとつのアプローチでは主として北欧に焦点をあて、社会におけるビジネス上の関係の質に、より大きな関心を払った。効果的な国家イノベーション・システムの特性は、顧客とイノベーションの供給者との密接なつながりにあると考えられたが、これは社会における人びとと組織のあいだの信頼感の大きさと、それに起因する学習に左右される。

これらのアプローチは、もともと研究者によって作られたもので、彼らはなぜイノベーションが起こるのか、そして特定の形態をとるのか、その理由を分析し理解することに関心があった。たとえば、なぜ米国のようないくつかの国々は急激なイノベーションをとくに強みとしているのか、これに対して日本のようなほかの国々では漸進的なイノベーションが非常に強いのかが問われたが、前者は基礎研究の強さで説明され、後者は顧客と供給者間の情報交換が効率的に調整されるためだと説明された。しかしながら、国家イノベーション・システムというアイディアは、制度や制度間の関係をどのように設計するか、処方箋的かつ計画立案上の手法として、政府や公共政策の関係者のあいだで急速に足場を確立した。ＯＥＣＤのような国際機関もさまざまな国の制度について多数の報告書を出したが、それらは非常に記述的で静的なもので、時間経過とともに国のシステムがどのように発展するのかについて説明していない。しかし、そこに記された観察は有用であって、国内にどのような制度が存在するかだけでなく、それらがいかに効果的に協働するかが重要とされている。

国家イノベーション・システムに関する研究が花開くのと同時に、国家が分析レベルとしてもっとも有効なのか、問いはじめる者もいた。疑問とされたのは、国がしばしば、ある産業や地域ではイノベーションを成功させるが、ほかでは失敗する理由だ。米国にはカリフォルニアのシリコン・バレーがあるが、北東部のラストベルトでは、重工業、製鉄が斜陽産業となっている。研究者は、地域、部門、そして技術のイノベーション・システムの重要性を議論している。マサチューセッツ州ケンブリッジおよびボストンをめぐるルート一二八、英国のケンブリッジ、フランスのグルノーブル、韓国の大田《テジョン》など、イノベーションに成功している地域の特性を、彼らは調べているのだ。工作機械と繊維産業におけるイノベーションのパターンの違いを調べ、なぜ、バイオ技術とナノ技術でイノベーションの起こり方が異なるのかを探求している。国境をまたいで活動する大規模な多国籍企業がイノベーションに多額の投資をしていることから、研究者はまた、グローバル・イノベーション・システムの役割についても論じている。

イノベーション・システムという概念は有用な考え方だが、社会システムは技術的なシステムではないため、その構成要素や要素間の相互作用が既知で、計画され、構築されているものではない。予測不能な出来事が起こり、システムは予期しないかたちで発展し変化する。たとえば、バイオ技術の研究で当初、先んじていたのはハーバード大学だったが、遺伝子研究がもたらす未知の影響に対して人びとが抱く恐怖心を足場に、ボストンで大衆迎合主義の市長が選出されると、スタンフォード大学に敗れてしまった。重要なのはイノベーションを支えるすべての制度が、時間がたつのに従い、ビジネス上の慣行や関係性とともに互いに関係し進化するありようについて考えることだ。そして分析レベルがグローバル、国家、地域、部門、技術のいずれであろうと、それらが互いに関係し、共進化する様子を理解することが重要になる。

政府は、アジアにおいてとくに明確であるように、イノベーション・システムの発達に主要な役割を果たす。ここ何十年かのあいだに起きたアジアの工業化は、この地域を社会的・経済的に著しく発展させた。たとえば、韓国は一九五〇年代、地球上で二番目に貧しい国だったが、世界でもっとも豊かな三〇か国のグループであるＯＥＣＤの加盟国へと変貌した。アジアの工業化には、研究、教育、財政、法における急速な発展が必要だった。インド、韓国、台湾、シンガポールといった国々は、首尾一貫した国家イノベーション・システムを作りあげ、世界のイノベーションに重要な貢献をおこなうようになった。発展のモデルもさまざまだ。韓国では大規模な企業複合体、台湾では小規模な企業のネットワーク、シンガポールでは大規模な多国籍企業による海外直接投資に依存し、中国は現実主義路線でこれらすべての手法を用いた。東アジアにおける発展プロセスでは国家による管理が強く、この点についてはもちろん、とくに該当するのは中国だ。

中国は歴史上、もっとも急速で顕著な産業発展を遂げた。第二次世界大戦、内戦、そして文化大革命の荒廃から、科学、技術、教育に圧倒的な投資をおこなうことにより、世界の製造大国として登場し、イノベーションにおける西側の覇権に挑戦する可能性を秘めている。中国におけるイノベーションは、強力な政治的リーダーシップによる変革の結果だ。胡錦濤主席がイノベーション志向の国を提唱し、中国的な特徴を持ったイノベーション路線を進めたが、このテーマは習近平主席によってさらに推進された。中国における政治的論調は「調和の取れた成長」に言及しており、包摂的発展の緊急性が、中国のイノベーションに立ちはだかるもっとも重大な問題となっている。貧困層と富裕層のあいだの所得格差を減らし、沿岸部と中国内陸部の経済格差を縮める手段としてイノベーションを活用することまでもが、必要となっているのだ。中国の国家イノベーション・システムが、西側と同等にイノベーションを競えるようになるための発展過程は未完成で継続中だが、国家が強力な指導的役割を果たし続けることは明らかだ。中国における多くの事柄がそうであるように、決定がなされるとそれは大規模なものとなるが、たとえば政府系の産業研究組織の民営化が決定された際には、約一〇〇万人を雇用する二〇〇〇ほどの組織が関係することとなり、その変更はまた、迅速におこなわれたのだった。

第5章　トーマス・エジソン

組織化の天才

常に変化し続けるイノベーションの課題に対応するため自身をどのように組み上げるか、組織には選択肢がある。どのような体制や手続きを採用し、どのように人員配置をおこない、動機づけをおこなうか、これらは組織の戦略とイノベーションの目的を反映している。

エジソン

トーマス・エジソン（一八四七〜一九三一年）は、その発明の才と彼が生みだしたさまざまなイノベーションによって記憶されている。彼は一〇〇〇件を超える特許を持ち、それ以外の特筆すべき成果のなかでは、とくに蓄音機、電球、送電システムを開発し、電話、電信、映像技術を発達させた。ゼネラル・エレクトリック社を含む、数多の会社を設立した。エジソンはまた、イノベーションを組織化するための高度に構造化された手法を編みだした張本人であり、本章での私たちの関心はこの点にある。

ジョサイア・ウェッジウッドと同様に、エジソンは質素な大家族のなかでもっとも年少であり、公教育もほとんど受けておらず、一二歳という幼い時期に働きはじめ、そして聴覚の障害に悩まされていたことが、人生や仕事に影響していた。エジソンもウェッジウッドと同じく目的志向を持ち勤勉で、トマス・ペインを称賛していた点も共通しており、エジソンの民主的な世界観はここから影響を受けていた。エジソンは無遠慮で、苛立ちやすく、短気でもあったが、愛想がよく、親切で寛大なこともあった。

エジソンは電信係として働きはじめ、監督者が不在となる夜勤のあいだに実験をおこなうようになった。最初の特許は、電子投票記録機について二二歳のときに取得したものだ。エジソンがおこなった発明は悪評も買い、これがかえって貧しい出自の彼を上流社会へと押し上げた。一八七八年に〔ラザフォード・〕ヘイズ大統領に対してホワイトハウスで蓄音機のデモンストレーションをおこなったり、ヘンリー・フォードの親友でもあった。エジソンは、ガソリン・エンジンの可能性についてフォードを感化したといわれている。仕事上の協力者には、J・P・モルガンやバンダービルト家など、当代一流の資本家たちがいた。

エジソンがビジネスに用いる手法は、容赦がなく非情だった。社員に対してイノベーションを継続的に改善するように求め、競争相手の評判を貶めることに熱意を注いだ。〔電流の〕交流に反対し、自身が好む送電法である直流を推進するキャンペーンは、電気椅子用にはどちらがより優れているかについての宣伝競争という、反道徳的なレベルに成り下がった。交流の危険性を示すため、エジソンは怯むことなく動物を感電死させた。そのなかには、気むずかしくはあったが不運な象のトプシーの例もあり、エジソンは、ルナパークでの処刑の様子をさらなる宣伝に使うために撮影した。最後には、より優れたシステムであった交流が優勢となったが、競合する技術標準をめぐる戦いの冷酷無比さは、支配的な技術を所有することの価値を明確に示している。

エジソンは商業的に大いに成功した一方で、かなりの失敗もしている。採鉱やコンクリートの製造に対し、どちらかといえば高額で無駄な資金の流用をしたこともあった。音楽関係のセレブに対する民衆の興味を理解できず、何年ものあいだ、ミュージシャンを録音対象として指名することを拒み続けた。独特の冷静沈着ぶりでエジソンは、失敗したのではなく、うまくいかない一万通りの方法を見つけたのだと主張した。

エジソンは、知的財産の保有をきわめて重視していた。彼の研究所でおこなわれた研究から生まれた特許は、エジソンの貢献如何にかかわらずエジソンによるものとされた。長く彼のアシスタントを務めた人物は、「エジソンとは実際には集合名詞であって、大勢による成果に言及しているのだ」と述べている。自身の特許を猛烈な勢いで保護する一方で、エジソンは折に触れて他者の知的財産を無視した。またエジソンと彼のビジネス・パートナーは、競争相手による開発を妨害するためによく特許を用いた。

エジソンは生涯を通じて尊敬され、新聞では「魔法使い」と呼ばれていたが、ライバルからの敵意を込めた非難にも直面した。批判者のなかにはニコラ・テスラがおり、テスラにとって憤慨する理由には事欠かなかった。彼は、ウェスティングハウス社で商業化する以前、エジソンの下で働いていた際に交流を開発したが、約束の報酬が支払われなかったと主張した。後にエジソンは、テスラの遇し方を後悔することになる。推測になるが、多くの機会があったにもかかわらずエジソンが自身で交流を採用しなかったのは、自分が発明したものではなかったため、つまり「NIH」症候群〔前出の自前主義のこと〕の一例である。エジソンの死後、テスラは後世のためとして、かつての彼の上司はもっとも基本的な衛生上の決まりごとにさえ完全に無頓着だったと伝えている。

エジソンが発明のための取り組みを組織する方法は、イノベーションに対する総合的なアプローチから生まれたものだ。もっとも強力な競合案があらわれてリソースと努力を集中させられるまで、複数の選択肢を残しておこうと、常にいくつかの異なる路線で研究をおこなった。多くのプロジェクトを同時に進めることによりエジソンは、将来の収入源が単一の開発に依存しないようにして損失を回避していたのだ。彼は、ひとつの問題に取り組むと多くの場合、まったく予期しないかたちでほかの問題へとつながっていくことを非常によく知っており、可能性、偶然の産物、そして「運」の重要性を理解していた。

エジソンが探求したのは、異なる研究分野から生まれたアイディアをどのように結びつけられるかという点であり、ほかの機械でうまく機能した部品を再利用し、新たなデザインの構成要素として援用するという戦略も持っていた。エジソンは、自分はすべてのものから躊躇せずにアイディアを吸収したが、しばしばほかの人びとが中止してしまったところからはじめた、と述べている。たとえば電球の開発と商業化では、研究者、投資家、供給者、販売業者のネットワークから得られるアイディアを組み合わせた。電球のアイディアそのものは何十年も存在していたが、エジソンは低電流、カーボン・フィラメント、高品質の真空を使用して、比較的、長持ちする製品を開発したのだった。彼は可能なかぎり小規模に実験と試作をおこない、可能なかぎりシンプルに設計する主義だった。ひとたび突破口が開けても、製品として成功させるためには大量の研究と実験が続くことも予想していた。一事を完成するには通常、五年から七年がかかり、二五年たっても未解決のままのものもある、とエジソンは述べている。彼が言うように、「天才とは一パーセントのひらめきと、九九パーセントの努力」なのである。

エジソンは、システム構成に依存する個々の部品の製造者ではなく、技術システムの管理者に金銭的価値のほとんどが帰する点を理解していた。彼のシステム思考は、一八八二年にニューヨークで稼働した送電事業の発展においてもっとも顕著に表れた。見慣れないものを人びとが恐れると知っていたため、自身の電力システムのなかに新しいものと既存のものとを巧みに混ぜ合わせたのだ。ガス管のように電線を地下に埋め、屋内では既存のガス用器具を使うなど、送電にあたって見覚えのある設備を活用した。

多くのイノベーションと同様に、彼の研究所も他者の経験の上に立って組織されていた。エジソンが最初に働きはじめた電信業界では、いろいろな実験器具の揃った小規模な作業場が多数、存在していた。エジソンは、ボストンにあったそのような作業場のひとつで実験をおこない、一八六九年にニューヨークに来ると別の作業場を使った後、ニューアークに自身の研究所を設置して株式相場表示器の設計をおこなった。

エジソンは実施される研究活動の範囲と規模において、組織面での革新を起こした。それまでほかのどの組織もおこなったことがなかったほど、イノベーションの探求に財源と技術的リソースを投入したのだ。一八七六年、エジソンは「発明業」に専念するため、メンロパーク研究所を設立した。マンハッタンから二五マイル離れた、当時は小さな村に置かれたのだが、一八八〇年までには二〇〇名のメンロパーク住民のうち、七五名がエジソンのもとで働いていた。メンロパークのはじまりは、一つの事務所、研究所、そして作業場だった。歳月を重ねる間にエジソンは、吹きガラス工房、撮影スタジオ、木工の工房、炭素を製造するための小屋、鍛冶やその他を目的とした機械工場を増やしていった。また、図書館も追加された。

当時の米国では、最高峰の大学でもほんのわずかしか研究所を備えておらず、しかも設備は不十分で教育を主目的としていた。それに対してエジソンは優れた科学実験用の器具を有しており、そのなかには高額な反照検流計、電位計、測光用機器もあった。二、三年ほどのあいだに、エジソンが保有する器具類の価値は四万ドルとなった（二〇一六年の価値にすると九〇万ドルであり、当時としては並外れて大きな投資だった）。発明とイノベーションに必要なすべての器具、機械、材料、そしてスキルを、一カ所に揃えることが目的だったのだ。

最盛期には、二〇〇名以上の機械工、科学者、職人（当時は男性のみが就いていた仕事のため、クラフツメンである）、そして労働者が働いており、エジソンの発明を助けていた。彼らは一〇名から二〇名のチームに組織され、それぞれがアイディアを実際に動く試作品の形にすべく、同時に作業していた。チームの全員が同じ目的を持っていたため、コミュニケーションと相互理解は秀逸だった。メンロパークでの六年間に、エジソンは四〇〇件の特許を登録した。彼は一〇日に一つ小さな発明を、そして約六か月ごとに大きな発明をおこなうことを狙っていた。

一八八六年、エジソンは研究の本拠をニュージャージー州のウェスト・オレンジへと移し、研究と製造能力の規模を拡大させた。ウェスト・オレンジは、メンロパークの一〇倍の大きさがあった。エジソンの伝記を著したジョセフソンは、この移転の背後にあった理由を次のように述べている。

最高の機材と最大の研究所を備え、ほかのいかなるものより優れた設備によって発明品を迅速かつ安価に開発し、模型の型と特殊機械により商業化できる形へと作りあげられるだろう……。考えられるほとんどすべての資材が大量に揃っているのだから、以前は何か月もかかり膨大な経費を要した発明が、いまは二、三日あれば少しの金額で可能となる。

エジソンの工場では研究に必要な部品が作られ、研究によって工場での大規模生産に使われる機械が開発され、製作された。蓄音機の開発には四〇年以上がかかったが、その間に研究開発された録音装置には当初、錫の箔が、次には蠟の化合物が、続けてプラスチックが使われた。蓄音機の最終的な使われ方も、もともと想像されていたものとは異なっていた。このように技術上の、そして市場についての学習が進むにつれ、新しい形状による製造を素早く拡張する能力によって、エジソンは大きな市場を占有できた。ニューヨークにあったエジソンの工場では、いっとき二〇〇〇名以上を雇用していたが、これは当時の工業界において最大の事業体のひとつだった。パフォーマンスの高い研究所の職場とは対照的に、これらの大量生産型の工場は過度な分業によって運転されており、単純作業が多くの労働争議につながった。

ウェスト・オレンジにおける活動の規模は、必然的に部門化と管理を進めることとなり、エジソンはこれらにより多くの時間をとられるようになった。生産性は非常に高かったものの、メンロパーク時代の並外れた成果にはまったく及ばなかった。エジソンは、「首から下を使うと日に二、三ドル程度しか稼げないが、首から上を使えば、自身の頭脳が創りだすどんなものにでも値するだけ稼ぐことができる」と語ったと伝えられており、「愚か者」や「馬鹿者」をきつい調子で非難して「思考する習慣を作りあげる決意をしない者は、人生における最大の楽しみを逃している」とも述べた。彼は大学卒を雇用したが、スペシャリストよりもジェネラリストを好んだ。この点については、エジソンの研究組織が将来にわたって発展するのを阻害したと指摘する者もいる。その求人法は独特だった。初期においては、応募者にガラクタの山を示し、それを組み立てて、終了したら知らせなさいと命じた。そのガラクタは発電機で、うまく組み立てた者は採用試験に合格となった。後には、一般知識についての長い質問票を作成し、検査役への昇進予定者はそれに合格しなければならなかった。

エジソンは、自身が何を望むか大体の概要を社員に伝え、あとは彼らにその目的を実現する最良の方法を決定させるというやり方を用いた。彼は「おい、ルールなんかなしでいこう——達成したいことがあるんだからね」と述べた、と伝えられている。ある社員が語ったところによると、「ここでは秘密など何もない。誰もがすべてを自由に試みることができ、あとは全部、エジソンが指示する」。

エジソンの「管理法」は、各チームにアドバイスし激励しながら「歩き回ること」だった。彼は一日一八時間働き、実験台をつぎからつぎへと巡って歩くことが運動となって、「友人や競合相手の何人かがゴルフなどの遊びから得るよりも……多くの利益と楽しみ」を得ていた。伝記作家のボルドウィンは、「どこにでも現れ、絶え間なく覗き込み、両袖をまくり上げ、気にもとめていない葉巻の灰が溶接工や金型工の肩に落ちるまま、人びとの求めに従って傍目にもわかるように通路を行ったり来たり歩き回る」ことを、エジソンが自らに「強制している」かのように描いている。

社員も異常なほど長時間、働いた。テスラは、最初の二週間で四八時間の睡眠をどうにか確保できただけだ、と苦情を述べている。言い伝えによると、エジソンは五日間続けて昼夜を問わず働き続けたそうだが、おそらくそれは三日間の話で、また工場にいるエジソンに連絡をとるのにいちばん良い時間は真夜中過ぎとされていた。エジソンの伝記を執筆したもうひとりの作家、ミラーによると、

「エジソンの研究所におけるもっとも重い罪は、睡眠だった。エジソンが居眠りしているところを見つけでもしないかぎり、睡眠は不面目とされ、そのボスが居眠りをしていれば、全員がそれに従った」。眠り込みそうな人を思いとどまらせるためにさまざまな方法が用いられ、なかには耳の隣で恐ろしいほどの騒音を立てる「死体再生法」や、明らかなやり方として少量の爆発物で眠っている人に火をつける「死人蘇生法」もあった。

エジソンの下で働くことは、危険な場合もあった。彼の主任アシスタントだったクラレンス・ダリーはX線透視法の実験の際、片腕すべてと片手のほとんどを失い、エジソンも危うく失明するところだった。地元紙が伝えたところでは、エジソンは寛大にも、ダリーには働くことはできないものの、雇用し続けると語ったそうである。

エジソンの二人の社員による回顧をジョセフソンが記録しているが、それらは洞察に満ちている。一人目は若い求職者だったが、「応募者の誰にも知っておいてもらい点が二つある。給与はどれくらいか、どれくらい長く働くのかだ。さて、われわれは何も支払わないし、四六時中、働いているよ」と説明された。その求職者は、採用に応じたのだった。二人目は、エジソンのもとで五〇年間、働いたことを振り返った男性で、長時間労働にともなう犠牲について、子どもたちの成長を見られなかったのが一例だと語った。なぜ、そんな真似をしたのか問われると、彼は「エジソンが仕事を面白くしたからだ。エジソンによって、自分は彼のために意味ある何かを作っているのだと感じていた。自分は、ただの工員ではなかったんだ」と答えている。

図版7　エジソンは勤勉とともに遊びも奨励した。この写真では，社員たちが「歌う」集まりに参加している。

今日では過酷ともみえるこのような慣行の一方で、エジソンは、従業員の創造性や生産性を奨励した。重要な役割を果たした社員には発明品の利益から賞与が支払われたが、この報奨金はニコラ・テスラを対象とはしていなかった。エジソンは社員と軽食、葉巻、冗談、物語、ダンス、そして歌によって親交を深めた（図版7を参照）。人気を博した真夜中のランチも組織した。電気式のおもちゃの鉄道があって遊ぶことができ、お気に入りの熊もいた。経営学研究者のアンドリュー・ハーガドンは、次のように説明している。

マカーズ（Muckers）［と呼ばれた技術者］たちは、解決策を求めて何日も立て続けに働き、それから仕事を中断してパイ、煙草、そして研究所の端に鎮座する巨大なオルガンの周囲で歌う猥雑な歌で、深夜の休息をとった。

エジソンのあるアシスタントの言葉がミラードの著書に引用されているが、「そこにあったのは気心の知れた小さなコミュニティで、全員が若い成年男性であり、自身の仕事に情熱を持ち、偉大な成果を上げようと期待に満ちていて」、彼らにとっては仕事も遊びも区別するものではなかったのだ。

エジソンが、理論と計算よりも本能と直観にもっぱら意識を向けていたことがテスラには苦痛だったが、研究所のやり方は実際、ときに行き当たりばったりとみえた。電球のフィラメントに用いるのに最良の材料を探していたとき、エジソンは馬の毛からコルク、社員の髭にいたるまで、可能性の低い材料で実験をおこなった。炭素フィラメントによって白熱電球の突破口が開けたときも、エジソンの社員がその発見の意義に気づいたのは、数か月後になってからだった。

とはいえ、集中と規律は存在していた。エジソンは、提供するサービスについて考えずに発明を完成したことは一度もないと主張しており、何が世界に必要かを見つけてから発明へと進んだと語った。プロジェクトには、実際的な商業上の応用がともなわなければならなかった。エジソンは「当て推量」で有名だったが、研究所のアシスタントたちには一〇〇〇冊を超えるノートに実験の詳細な記録を残すように強く求めており、これは特許の登録や紛争においても役立つものとなった。実験は大がかりなもので、炭素フィラメントのためには六〇〇〇種の明確に異なる植物、主には竹が使われ、エジソンがニッケル鉄電池を開発した際には、五万件の実験を個別におこなった。エジソンの近くで働いていたアシスタントのひとりは、ある問題に関する一万五〇〇〇件の実験について記録した。ウェスト・オレンジには一万冊ほどが揃った豊富な図書館があり、エジソンは常に生物学、天文学、機械学、形而上学、音楽、物理学、政治経済学について読書をしていた。正規の教育を軽視していたことで非難もされたが、エジソンは二名の著名な数学者を雇用し、そのうちの一名は後にハーバードとMITの教授になった。エジソンが雇用した重要な化学者のひとりは「基本のローソン」と呼ばれていたが、これは彼が科学的原則の基本に忠実であるためだった。エジソンは〔ルイ・〕パスツールやドイツの物理学者で医師の〔ヘルマン・フォン・〕ヘルムホルツと会って彼らを称賛しており、〔アルベルト・〕アインシュタインは彼の会社でセミナーをおこなった。どこか不似合いな感もあるが、ジョージ・バーナード・ショーもいっとき、ロンドンでエジソンのために働いていた。

工芸品や絵画も、創造性やコミュニケーションの重要な源泉となっていた。伝わっているところによるとエジソンは、「ガラクタの山から、インスピレーションを得ることができる。場合によっては、うまく想像することでそれらを組み上げ、何かを発明できる」と述べている。一八八七年になると、彼の研究所には八〇〇〇種の化学物質、あらゆる種類のネジ、コルク、ケーブル、針、そしてラクダからミンクまでの動物、孔雀やダチョウなどの羽毛、蹄、角、貝、サメの歯にいたるまで備えられていると評判になっていた。エジソンにとっては、言葉よりも絵として考えるほうが容易だった。アレクサンダー・グラハム・ベルが発明した電話を改良する目的で、一八七七年にウエスタン・ユニオン電信会社から契約を受けた際には、設計を改良するために五〇〇枚を超えるスケッチを作成している。

内部で工夫を重ねたのと同じく、エジソンは商売や研究に要するネットワークも熱心に開拓した。彼は技術の仲介者として、研究と産業のあいだを行きつ戻りつしていた。自身の研究に加えて、電信、電気、鉄道、採掘事業のための受託研究もおこなっていたのだ。ハーガドンは、次のように述べている。

エジソンは、他者のためにおこなう実験と自身のための実験との境界を、暗黙のうちに曖昧にしていた。受託研究の成果がほかのプロジェクトに使われたり、ある顧客のために作成された実験機器がほかの顧客の仕事に使われたところで、誰にわかっただろう。

ハーガドンはまた、エジソンが継続的にイノベーションを起こせたのは、当時のいろいろなネットワークの状況を最大限に活用する方法を理解していたためだとしている。

エジソンがとった手法は、試行錯誤、勤勉、粘り強さの一例であって、順序だっており、厳密で、目的に従っており、用意周到な考え方と注意深い観察によるものだった。彼はイノベーションが個人の天才からではなく協力から生まれるものと信じており、ともに働いたり境界を越えたりするこの能力は、支援を惜しまない文化、環境、そして社会、産業界における関係性によるものだった。

エジソンは、偉大な個人発明家の時代から、イノベーションを体系的に企業体としておこなう組織の時代へと移行する、その入口で働いていた。彼は登場しつつあった現代の技術社会に適した組織形

図版 8　クリフォード・K・ベリーマン作の漫画『消灯せよ』(1931 年)。フーバー大統領がエジソンの偉業を偲ぶため，電気を消して「1 分間の暗闇」とするよう求めている。

態を創りだし、ベルやゼネラル・エレクトリック社といった大企業もそれを迅速に取り入れた。一九二八年六月二四日付の『ニューヨーク・タイムズ』紙に掲載された記事によると、エジソンの発明によって一五〇億ドル（二〇一七年の価格にすると二〇九〇億ドル）の価値を持つ産業ができあがったと推計されている。彼の名声は世界に及んだ。〔ハーバート・〕フーバー大統領はエジソンを「全人類にとっての恩人」と呼び、エジソンが亡くなった際には、電気を消し「一分間の暗闇」によって彼を記憶に刻むよう人びとに求めた（図版8）。一九三一年一〇月一八日の『ニューヨーク・タイムズ』紙におけるエジソンの追悼記事は、「トーマス・アルバ・エジソンは世界を生きるにより良い場所とし、労働者の生活を従前よりも高級なものとした」とはじまっている。一人のイノベータとして、これに優る貢献はできないだろう。

職場

エジソンが明確に示したように、イノベーションは前方を見据え、リスクを許容し、多様性と失敗に寛容な組織において、より頻繁に生じる。陽気で面白く会話や笑いが当たり前の職場のほうが、過度に堅苦しく官僚的で、人間味のない職場よりも革新性が高くなるのだ。そのような職場では意見を表明することが歓迎され、アイディアがより頻繁に出てくるだけではなく、それがより迅速に実行される。反対意見も決定を後から覆すためではなく、有意義であると考えられる時点で出される。

アイディオ（IDEO）は、非常に革新性の高い職場を備えた企業だが、エジソンによるいくつかの教訓を模倣している。同社はデザインとイノベーション関連サービスの提供者として成功しており、世界中のオフィスで五五〇名を超える社員を雇用している。デザイン・スタジオやデザイン学校の環境から得た創造的手法を使い、他社による製品、サービスのイノベーションを支援することで評判を高めてきた。「人間的要素」と美的デザインを製品工学の知識と結びつけ、アップルからナイキ、プラダにいたる各企業へ向けた何千もの製品を作っており、映画『フリー・ウィリー』に使用されたシャチもデザインしている。アイディオについて、『ファスト・カンパニー』誌は「世界でもっとも知られたデザイン会社」、『ウォールストリート・ジャーナル』紙は「想像力の遊園地」と表現し、『フォーチュン』誌は同社への訪問を「イノベーション大学での一日」と記した。

多くの異なるプロジェクトを取り扱うため、アイディオは有為な人材を広く採用しており、スタンフォード大学のデザイン研究所とも特別なつながりを有している。同社は、設計工学のほか、心理学、人類学、生体工学の卒業生を雇用している。

アイディオの首脳陣は、国際的なデザイン・コミュニティにおいても非常に注目されている。彼らは「ヒエラルキーは浅く、コミュニケーションは大いに、自尊心は最小で良い」革新性の高い文化を持っていると主張しており、この文化においては次の方法が用いられている。

協働の方法論によって、ユーザーにとっての有用性、技術的な実現可能性、ビジネスとしての持続可能性を同時進行で調べ、観察、ブレインストーム、迅速な試作品の製作、実行といった、設計と開発のための機会を可視化し、評価し、洗練する一連の技術を用いる。

アイディオは、自身が持つデザインの方法論を講義や訓練素材のかたちで他社に販売している。同社では、広範な商品について新たな問題への解決策を探す際に、社員がいろいろと試した機器やデザインを多数、所蔵しており、これは「おもちゃ箱」と呼ばれている。同社がとくに熟達しているのは、ある産業やプロジェクト向けに発展させた創造的アイディアをあれこれと検討して、異なる産業、プロジェクト向けの革新的な応用法を探ることだ。このような環境で発揮される遊び心によって、無関係なアイディアどうしの相互作用や偶然から生まれるつながり、結びつきが起こる。

体　制

エジソンは組織化の方法を開拓したが、どのような体制でイノベーションの機会を活かすか、組織には多くの選択肢がある。組織によっては非常に公式化された官僚的な体制を選択し、ほかの組織は非公式で自由な体制を選ぶ。この両方を試みる組織もあり、そこでは組織の一部がほかとは大きく異なる行動をとるように奨励される。

組織におけるイノベーションについてのもっとも初期の研究のうち、一九六一年に発表されたバーンズとストーカーによるものは、組織化にあたっての機械的形態と有機的形態とを分けて考えている。機械的形態は安定し予測可能な状態に適切であり、有機的形態は状態が変化しており状況が予測できない場合に適切である、と両者は説いている。この基本的な一般原則は、今日も有用だ。なぜならば物事を組織する方法は、特定の環境とイノベーションの目的に適していなければならないからである。技術や市場が急速に発展しており将来が不確実な場合、メンロパークの事例がそうであるように、官僚主義によって制約することなく、実験や創造性を奨励する必要がある。不確実性がいくらか縮小した際には、より計画的なアプローチがプロジェクトの発展に必要となり、イノベーションを提供するために事前に細かく定めた予算や運営法が整えられる。さらには、イノベーションについて異なる問題が生じるにつれ、使われる組織形態も時間経過とともに頻繁に変化する。イノベーションの発展過程が進むにつれ、それを支援する組織形態も「緩い」ものから「きつい」ものへと移行するのだ。

研究開発

研究開発の体制としては、実にさまざまな方法を用いることができる。過去の有力企業の多くは例外なく、自身の研究を実施するために大規模な企業研究所を用いていた。各企業が、自分たち用に大規模なメンロパークを所有していたのだ。この「集約的な」研究開発形態の典型はベル研究所であり、最盛期には二万五〇〇〇名を雇用し三万件の特許を取得していた。六名はノーベル物理学賞を受賞し、それ以外の多くの成果に加えてトランジスタ、電子交換機、通信衛星、セルラー式移動無線、発声映画、ステレオ録音を発明した。基礎科学について同研究所がおこなった発見のひとつは、電波天文学の発展につながった。一九二五年に創設されニュージャージー州を拠点としていたベル研究所は、AT&T社の研究組織であったが、後に同社はアルカテル・ルーセント社に買収された。かつて基礎研究に優れていると有名であった同研究所も、多くの企業研究所と同様に、しだいにより応用を意図した研究へと移行していった。

このような組織化の方法に対してビジネスの視点から出される批判は、研究が顧客のニーズからあまりにも離れてしまう傾向になり、研究の方向性も通常、長期的にすぎるというものだ。反対に、ほかの企業は中央研究所を持つのではなく、研究開発のための組織体制を「分散化」し、複数の研究所を特定のビジネスや顧客により近い場所へと置いた。この体制の問題点は、研究が短期的問題に焦点をあて、より急激で破壊的なイノベーションの機会を逸してしまう傾向となる点だ。両方の形態から利点を得ようと、企業によっては中央研究所と複数の分散した研究開発用の研究所とを組み合わせているが、この選択肢は少数のもっとも富裕な企業にのみ可能なものである。

インテルやロールス・ロイスといった企業は大学と緊密なつながりを持ち、しばしば、卓越した研究拠点の近くに施設を置いている。このような「ネットワーク型」の研究開発組織が直面する困難は、外部での研究によって生まれた知識を理解するため、その知識を吸収する能力を内部に備える必要があるというものだ。外部で生じた知識を理解し、解釈し、活用するスキルが組織にとって必要となり、高い能力を持つ研究パートナーを惹きつけるためにも、自組織の側に深い専門性がたびたび求められるのだ。

研究開発においては、新たな選択肢や、破壊的技術を生む可能性のある知見を得られる長期的研究と、短期的、あるいは直近の明確に定義された問題を対象とする研究とのバランスをどうとるかが、組織にとっての難題となる。企業からすると多くの場合、どのような研究開発体制を備えていたとしても満足できないようだ。集約化された体制では顧客ニーズの重要度が低くなっていると感じ、分散化した体制だと潜在的に重要なイノベーションを見逃す可能性がある。両方の体制が揃っている場合には、財政規模の比較やプロジェクトの担当をめぐって、常に緊張が存在する。ネットワーク型研究開発の問題としては、複数の関係者からのインプットや知的財産権の所有をめぐる紛争を管理し、統合しなければならない点がある。

内生でおこなう研究開発からの報酬を増やし、イノベーションのために外部の協力者を求めて企業がとる戦略のひとつを、近年、ヘンリー・チェスブロウは「オープン・イノベーション」と説明している。家庭用品を製造販売する企業、プロクター・アンド・ギャンブルは、オープン・イノベータの一例だ。科学を基礎におく同社は、内部における研究に大いに注力している。その戦略は「コネクト・アンド・ディベロップ」といわれているが、かつて九〇パーセントを内部の研究投資に依存していたのとは異なり、イノベーションの半分を社外から調達しようとしている。自社における内部研究を外部の連携先と結びつける様子からは、一つの企業内におけるイノベーションの組織化を補完する手段から、恩恵を得ようとする戦略であることがわかる。

近年の中国やインドにおける急速な研究能力の成長は、多くの多国籍企業が研究開発を組織する方法を変える可能性を秘めている。企業は海外に研究所を置くことにより、製品やサービスをその国の市場に合わせ、特定の国が持つ研究上の専門性を活用し、また研究協力のための国際的なネットワークを創りだす。米国やヨーロッパの多くの企業が、インドや中国に実質的な研究組織を立ち上げているが、これはとくに情報通信技術において顕著だ。これらの企業が用いる戦略は、時とともに変化することもある。たとえばスウェーデンの電気通信会社であるエリクソンは、一九八〇年代に中国に対する研究開発投資をはじめたが、これは政府からの受注を容易にするためであり、また友好と約束の証とするためだった。一九九〇年代初頭になると、安価な研究要員を活用し、そしてエリクソンの製品を急速に成長する現地市場に適合させるため、研究開発の支出額は大きくなった。中国の企業と大学双方における研究者の質と可能性に気づいた同社は、一九九〇年代後半には世界市場向けの研究開発を中国でおこなうようになった。二〇〇〇年代初頭までに、同社が世界中に置いていた研究開発グループのいくつかが閉鎖されて中国へと移り、エリクソンの在中研究グループが、同社の世界における研究開発事業の中核的な担当部署となった。

新たな傾向

研究開発は、組織が将来のための選択肢を創りだす手法のひとつだ。どのように新製品やサービスの開発を組織するかが、将来へ向けての選択肢をどれほどうまく実現できるかにとってきわめて重要である。研究開発は多くの場合、組織においては科学者や技術の専門家たちの場であるのに対し、新製品やサービスの開発には通常、設計、マーケティング、そして運用を含むより広い範囲の人びとが関与する。これらの専門家は、なぜ、どのようにモノやサービスが購入され、どのくらいのコストをかければ製造でき、配送できるのかといった問題への対応を支援する。

新製品やサービスについての計画立案を支援するためには多数のツールや手法があり、たとえばステージゲート法では、開発プロセスの停止・進行に関する決定ポイントをいくつもおく。こういったツールや手法は競合するプロジェクトの選別を支援したり、それらのプロジェクトに適切な資源配分がおこなわれているかを確認するために設計されている。しかし限界もある。これらは製品開発プロセスの管理には非常に便利かもしれないが、そもそもその製品が適切か否かは判別できないのだ。また過度に手続き優先となり、問題解決の動きを止めてしまう可能性もある。

官僚主義による硬直性に対応するため、いくつかの組織では「非公式の自主的活動」を認めたり、自身のプロジェクトのために時間を使うことを許したりしている。一週間のうち一〜二日、正式な仕事以外に取り組む時間を与えることによって、グーグルや3Mといったイノベーションが活発な企業では、個人が革新性を追求する動機を持ち、新たなアイディアが生まれ発展していくようにしむけているのだ。

グーグルとその持株会社であるアルファベットは、イノベーションの奨励策としてさまざまな制度や手法を用いており、この制度や手法も、新たな機会が生じたり行き詰まったりするのに合わせて継続的に発展している。グーグルにはスタートアップ企業に投資する公式の制度があり、無人運転など「ムーンショット」型の技術に着手したり、人工知能について研究もしている。アルファベットは人工知能の先端企業であるディープ・マインドを買収し、都市のイノベーション、高齢化、健康科学に関する研究施設を運営している。グーグルが組織的に用いる手法と動機づけのなかには、交流が促進されるように設計されたカフェ、特定の問題に注意力を集中するための一日ないしは五日といった集約的な期間、正式にアイディア創出を奨励し進捗を調整するためのプロセス、そして確実にアイディア創出が刺激され、またそのアイディアが上級社員に確実に伝わるようにするための非公式な方法がある。これらすべては、才能ある社員を惹きつけ、そのスキルを最大限、活用するために設計されたものだ。

イノベーションへの組織的制約を逃れるために活用されるもうひとつの方法として、いわゆる「スカンクワーク」がある。冷戦期に航空機を迅速かつ秘密裡に開発しようとロッキード社が使いはじめたもので、大組織のなかで凝集した小さなグループが運用上の大きな裁量を持ち、特殊プロジェクトに取り組むことを意味している。

運用および製造

新製品やサービスを製造し供給するための方法は、それ自体が重要なイノベーションとして注目されてきた。たとえば製造は自動化されているが、投入を産出へと変換する工程である運用については、仕事をどのように組織化するのか、その方法に大きなイノベーションが起きている。製造と運用におけるイノベーションは、自動車、消費財や電子機器、スーパーマーケットやホテル・チェーンなど、高品質な製品やサービスが手ごろな価格で得られる大衆市場の創出につながっているのだ。

運用と製造を組織するに際しての基本原則のひとつは、アダム・スミスが分析した分業、つまり作業の専門化による生産性の向上である。ヘンリー・フォードは二〇世紀初頭、登場しつつあった大衆市場向けに自動車を製造する組立ラインを開発するため、専門化と自動化の原則を用いた。フォードには、それまでおこなわれていた手工業的な製造法と比べて、製造工程に対する経営面からの管理を強化する目的があった。彼が採用した解決策は、非熟練工や半熟練工が、取り換え可能な部品から造られ標準化された製品を大量に取り扱う、大量生産ラインの開発だった。管理と設計は、狭い範囲の熟練した専門家の責任とされた。作業管理は職人がおこなうものからマネジメントに置き換えられ、仕事のペースは設備を最大限、使用する必要性に従って決められた。これは機械が非常に高価であったことから、組立ラインを停止させる余裕が企業になかったためである。資材や労働者の予備といった余力分が追加されるのは、製造を確実に滞りなくおこなうためだった。機械を変更するには費用がかかったことから、製造においては標準化された設計が可能なかぎり長く使われ、この結果、消費者は低価格という利益を得たが、それはバラエティと選択肢を犠牲にしてのものだった。

フォードの友人であったエジソンは、非熟練かつ単調な仕事が起こす問題を、労働争議に直面するかたちでそのときすでに経験していた。またゼネラル・モーターズはフォードに対し、彼のマーケティング姿勢の限界と多種多様な車を製造する利点を示していた。同社においてアルフレッド・スローンがとったアプローチは、「すべての財布と目的に合った車」の製造を目指すものだった。しかし、製造における効率と消費者に対する幅広い選択肢、そしてスキルの活用をともに可能とした真のイノベーションは、日本から生まれた。

第二次世界大戦後、トヨタは、国際的な自動車メーカーとなる野望を実現するには、米国の大量生産技術による効率と、日本の労働慣行による手工業的な品質を活用しなければならないと気づいた。当時、日本国内の自動車市場は小さかったが、車に対する需要は多種多様で、米国と比較すると製造技術は未発達であり、投資資本は乏しかった。組合として組織された日本の工場労働者は自身のスキルを維持したいと主張し、フォードやエジソンの工場で部品が交換可能とされたような、可変費用として扱われることを受け入れなかった。トヨタは、単調で退屈な作業には労働者の疲労やケガにつながる危険があり、効率も徐々に落ちていく点を理解していた。

一九五〇年、トヨタの取締役だった豊田英二は米国に滞在し、フォード社のルージュ工場で三か月を過ごした。彼はこの工場の総生産量に圧倒されたのだが、そこでは一年のあいだに、トヨタが過去一三年間で製造した車の二・五倍を上回る数が製造されていた。しかし、総生産量は印象的だったものの、システムとしては工数、資材、時間に無駄があると豊田は考えた。トヨタには、予備の在庫や補修エリアを揃え、狭い範囲に熟達した専門家と、高価で単一の目的しか持たない機械を操作する非熟練労働者によって自動車を製造する余裕はなかった。豊田が目的としたのは、熟練労働と大量生産の利点を組み合わせつつ、しかし職人芸によるコスト高と工場システムの硬直性は回避して、製造システムを単純化することだった。この結果、発展したのがトヨタによるリーン生産方式であり、多方面に熟達した労働者のチームを組織の全レベルに配置し、種々雑多な製品を大量に製造できる柔軟性の高い、自動化された機械を用いるものだ。トヨタのシステムでは、予備の在庫を持ってリソースを無駄にするのではなく、必要なときにちょうど間に合うタイミング〔ジャスト・イン・タイム〕で部品が配送される。

トヨタの労働者チームには、「品質管理サークル」で製造工程の改善提案をおこなう時間が与えられている。同社内には数千もの品質管理サークルがあり、毎年、何万もの小規模な改善プロジェクトが完了している。このサークルは、生産技術者と協力しておこなう継続的な改良であるカイゼン活動と関連している。問題解決に重点をおくことが全社員の仕事のなかで重要な位置を占め、実地訓練、集団での教育、自己啓発のすべてが奨励されているのだ。

リーン生産方式の成功によって、自動車の設計と製造システムが全体的に向上し、トヨタはほかの製造業者が比較対象とする自動車メーカーとなった。トヨタの製造システムが技術と組織におけるイノベーションを組み合わせたことにより、規模と範囲の経済性、つまり生産量とバラエティの多様化がともに達成されたのだった。

標準化による規模の経済性と消費者に多様な選択肢を与える範囲の経済性を、うまく組み合わせるようなイノベーションをどう追い求めるかは、いまも続く挑戦である。多くの場合、複数の個客市場向けに経済的な方法で製造することが、最終目的となるからだ。

同様にサービス産業の組織も、運用におけるイノベーションを求めている。航空会社ではインターネットによる予約と発券システムを用い、アプリケーションが搭乗券やフリークエント・フライヤー向けの特典付与を管理している。スーパーマーケットは、顧客カード上の購買行動に関するデータを発掘して販売促進のターゲットを定め、店舗にある商品が地域の個客プロファイルに合わせて確実に調整されるようにしている。

収益面で世界最大のｅコマース企業であるアマゾンは、運用と物流におけるイノベーションのリーダーだ。一九九四年に書籍の販売をはじめた同社は、今日、何百万の異なる製品を購入するアクティブ顧客を三億人以上も擁している。二〇一五年には売上が一〇〇〇億ドルを超え、さらに急速に成長し続けている。同社の創業者、ジェフ・ベゾスは、世界でもっとも裕福な人物のなかにランクづけされている。アマゾンが成功した鍵は、商品の発送が確実で迅速であることだ。同社では、発注を受けてから一五分以内に商品を発送できる。

アマゾンは非常に革新的であり、一定の会費で無料配送やストリーミング配信の映画へのアクセスが可能な、アマゾン・プライムといったサービスを提供している。電子書籍のキンドルや、音声で操作する個人支援機器のアレクサのような製品も販売している。同社はクラウド基盤サービスの提供者としても世界最大であり、このサービスは非常に安全と考えられているため、アメリカ中央情報局（ＣＩＡ）が使用している。ドローンによる配送、レジで支払いをすることなく、店から出る際にアマゾンのアカウントで自動引き落としされる店舗、食品配送についても探っており、最初に書籍をオンラインで販売したことを考えると皮肉ではあるが、書店も開こうとしている。医療や薬品配送の機会を探り、ビジネスに関する知見を得るために可視化をおこなうビジネス・アナリティクスのサービスを、クラウド・ベースで提供している。

いくつかはサッカー場二八個分もの広さを持つ倉庫の運用に、技術は必須である。倉庫内のスペースの使い方は、収納の密度と高さが最大となるように最適化されており、四万五〇〇〇台のロボットを使って支援されている。アマゾンはそれらのロボットを製造する企業を買収し、いくつかの報告によると、毎年、一万五〇〇〇台のロボットを追加している。買収後、その企業はアマゾンの競合相手に対するロボットの販売を停止したため、それらのロボットによる商売上の優位性が際立つこととなった。過去においては、倉庫内の商品移動はコンベヤ・システムとフォークリフトに依存しており、労働者が棚のあいだを歩いて配送する商品を見つけていた。今日、すべての製品にはバーコードか無線自動識別装置（ＲＦＩＤ）がつけられてデータベースに入力され、いちど受注があると直近にいるロボットにわかるようになっている。センサーを使って移動し衝突を避けながら、ロボットは商品が置かれていると識別された棚へ移動し、持ち上げて梱包担当の作業員のところへと運ぶ。

アマゾンはビジネスにおける類まれな成功物語だが、この物語は同社のウェブ・サービスへの参入によって続いており、クラウド・コンピューティングとホスティングからの収益によって、数十億ドル規模の年間収益が急速に生みだされている。同社は、その雇用慣行や、大通りの小店舗に与える影響についての批判に直面している。とはいえ同社は、多くの企業がモノを売り人びとが買い物をする方法を根本的に変えたのであり、この変化は同社の運用プロセスにおけるイノベーションによってなされたものなのである。

アリババは、販売量の面からみると世界最大のオンライン小売業で、同社の成功もやはり、デジタル技術を活用したビジネス・モデルによるものだ。創業者で会長であるジャック・マーは、技術の利用に関する同社のアプローチとして、ＩＴが管理を目的とするのに対し、データ技術は共有を目的としていると説明した。したがって、同社の意図は取り引きのエコシステムに力を与えることであり、これをコントロールすることではない、と。アリババは買い物客がオンライン上のどこで何を買っているか、見ているかについてデータを集め、精緻化し、それから業者にそのデータをフィードバックして販売のターゲティングを助け、予測データを用いて何を業者が在庫とし、製造すべきかわかるようにする。これにより、アリババのｅコマース・プラットフォームの利用がさらに促進される。同社が膨大な量のデータを取り扱う能力が明らかとなったのは、中国での販売がピークを迎えた日、そのサイトが毎秒、一七万五〇〇〇件の取り引きを処理したときのことだった。アリババはまた、実店舗を購入してオンライン上と実世界の両方における買い物の習慣についてデータを集め、よりいっそう効率的な在庫管理に役立つ知見を提供している。

ネットワークとコミュニティ

エジソンによる電気照明産業の発展は、技術システムのイノベーションがイノベータのネットワークから生まれた事例である。ほとんどのイノベーションには多くの協力組織が参加しており、個別の組織の観点からすると、この参加には利点も問題点もある。利点としては、自身が持っていない知識、スキル、その他のリソースにアクセスできる点がある。問題点は、こちらが望むように他者に動いてもらおうにも、組織的な拘束力がないことだ。

効果的なネットワーキングに重要なのは、大きな信頼をおけるパートナーシップの構築だ。協力者の技術的能力、期待されるものを供給する能力、その他、独占所有権のある知識を侵害せず、何かがうまくいかなかったときには認める用意があるといった全体的な誠実さについて、信頼感が求められるのだ。協力は通常、個人間のつながりの結果としてはじまる。このため、人びとが仕事や所属を変えるとつながりが切れることもありうる。したがって、パートナー間における効果的な信頼とは、個人間の信頼を組織間の信頼に拡張させ、協力の価値を法、管理、文化の面から制度として根づかせるものである。

オープンソース・ソフトウェアのように、分野によってはユーザーのコミュニティそのものがイノベータとなっている。この場合、製品やサービスのユーザーが新しいコンテンツを提供したり改善をおこなっている。これらのコミュニティの多くは自発的な関与を謳っているものの、ある程度の組織化は必要である。たとえばウィキペディアでは、このオンライン百科事典に対して参加者がおこなう取り組みを認定するために階層制を敷いており、質・量ともに高水準な貢献をおこなう熱心な参加者に、コミュニティ内で非常に高いステータスが与えられる。

組織は、イノベーション活動におけるＳＮＳ、ウィキやブログの活用にますます精通するようになっている。たとえばサーベイによって、あるいは電子メールのやり取りを追跡して社会ネットワーク分析をおこない、組織内の個人レベルや組織レベルにおいて重要なノードを見つけ、意思決定を向上させているのだ。

プロジェクト

現代の経済は大部分が、大規模で複雑な社会基盤関連のプロジェクトから成り立っており、その例として電気通信網、エネルギー生産および供給、そして空港、鉄道、高速道路といった輸送システムが挙げられる。これらのプロジェクトには通常、何十億ドルもの経費がかかり、その進捗の各段階でさまざまなスキルやリソースを提供するために集まる多数の企業間での調整が必要となる。これらのプロジェクトには、予算超過や遅延といった悪評もともなう。たとえば英仏間の海峡トンネルでは、八〇パーセントの予算超過が発生した。イノベーションによって、これらのプロジェクトを期待どおりに完了するための手段を提供することができる。

ロンドン・ヒースロー空港の第五ターミナルは、巨大で高度に複雑なプロジェクトであり、四三億ポンドの予算を用い、二万を超える契約社が参加していた。このプロジェクトの顧客であり、空港の所有者であり、運用者でもある英国空港運営公団（ＢＡＡ）〔現ヒースロー・エアポート・ホールディングス〕によって監督され、世界でもっとも多忙な同空港が処理容量を超えて稼働している脇で、主要な複数の建物、乗り継ぎ用システム、道路、鉄道、そして地下鉄の連絡線を建設しなければならなかった。第五ターミナルはロンドンのハイドパークと同じサイズで、年間、乗客三〇〇〇万人の処理容量を持つ。ブリティッシュ・エアウェイズが二万の荷物の行先を間違え、五〇〇便をキャンセルして運用に大失敗した最初の二、三日のことが頻繁に思い起こされるものの、このプロジェクトにおける設計と建設それ自体は成功であり、予算内かつスケジュールどおりに完成した。この成功は、大規模で複雑なプロジェクトの管理に対する革新的なアプローチによるものだった。

英国空港運営公団は過去のプロジェクトからの教訓を念入りに学び、使用する技術はいかなるものでも、すでにどこかで確実に実証されているようにし、新しい手法は第五ターミナルに適用する前に、すこし小さなプロジェクトで実際に試した。設計と建設を一体的におこなえるよう、デジタル・シミュレーション、モデリング、可視化の技術が用いられた。第五ターミナル・プロジェクトの成功を支えたのは、顧客である同公団と主要な供給企業が交わした契約が、通常は敵対的なものとなる業界規範とは大きく異なり、協力、信頼、そして供給者側の責任感を促していたことだ。プロジェクトにおけるリスクは公団が引き受け、作業は一次供給者と一体になったプロジェクト・チームによっておこなわれ、パフォーマンスの高いチームが報われるようにインセンティブが設計されていた。従うべきプロセスや手続きが細かく指定されてはいたが、複雑なプロジェクトにおいて必然的に発生する予見不能な問題に対し、マネジャーが柔軟に、自身の過去の経験にもとづいて立ち向かうことを可能にするような方法で、このプロジェクトは策定されていたのだった。

第五ターミナルから得られる教訓は、大規模で複雑なプロジェクトを成功させるには、標準化され、反復的で入念に用意されたルーティン、工程、技術と、予期せぬ出来事や問題に対処可能な革新的な能力とが必要であるということだ。プロジェクトを組織するには、決められた手順の実行とイノベーションの促進のあいだで、賢明なバランスをとらなくてはならない。これらの教訓は、ロンドンを横断する主要な新鉄道であるクロスレールなど、第五ターミナルに続くプロジェクトでも用いられている。

創造性のある人びととチーム

エジソンがメンロパークで示したように、イノベーションにはさまざまなアイディアと専門性を持ち合わせたチームで取り組む必要がある。チームを作るには、直面する問題を考えたうえで、スキルの最適なバランスを決めなければならない。また、人びとをチーム内に留め置くことによる組織記憶と、新たなスキルを持ち込むことによる刷新のどちらがより重要か、決定しなければならない。長期間、ともに働くチームは内向きになり、外部で生じた革新的なアイディアの影響を受けなくなる傾向がある。新たに結成されたり多くの新メンバーがいるチームでは、効果的に協働することを学び、仕事の進め方を作りあげなければならない。チーム内の調和には多くの美点があるが、イノベーションにはときとして、挑戦的な問いかけをしたり揺さぶりをかけるといった破壊的な要素、つまり良い結果につながるトラブルが大切だ。

チームの構成は、その目的を反映していなければならない。より急激なイノベーションに専念するためのチームには、途中で出現するが事前には予見できなかった機会に取り組むための自由とともに、より多くの創造性と目的における柔軟性が必要だ。このようなチームは、その目的が収益をすぐに増大させるわけではなく、結果として批判やコスト削減に直面しやすいことから、しばしば組織の上層部による手厚い支援を要する。個人とチームのあいだのインセンティブについても、バランスをとらなければならない。イノベーション・チームの実効性を高める要因はしばしば主観的なもので、職業上の満足や評価と関係している。パフォーマンスを低下させる要因はより具体的で、プロジェクトの目的やリソースの制約に関わっている。エジソンが発見したように、興味深くやりがいがあり、他者から感謝される仕事というインセンティブを与えられたとき、従業員はとてつもなく熱心に働くのである。

創造性は、アイディオのようなデザイン会社にとって重要というにとどまらない。すべての組織は、イノベーションのために創造的な人びととチームに依存して新たなアイディアを作りだしており、創造性は仕事という世界全体に広がる問題だ。創造性がイノベーションを刺激することから、今日、多くの組織では、創造性を奨励することが自身の発展と競争力の中核にあるとみている。創造性は、仕事をより魅力的なものとする手段として在職者のエンゲージメントやコミットメントを向上させ、また高いスキルを持った流動性の高い従業員をめぐる「人材獲得競争」での必勝法ともなる。

創造性には、個人的な要素と集団的な要素がある。心理学者は、創造的な人びとの特徴について説明しており、異なった考え方をしたり物事のつながりや可能性をみたりできる個人から、想像力に富むアイディアがどのように生まれてくるかについて語っている。創造性のある個人は、不明瞭さ、矛盾、複雑さに対する耐性を持つといわれている。マーガレット・ボーデンのような認知科学者は、創造性は誰もが習得できるものであり、私たちの誰もが持っている通常の能力や修練によって得られる技能のうち、誰であってもその達成を望めるものがもとになっている、と論じている。

組織は、創造性を養う訓練、個人が発揮する創造性に対するインセンティブや報酬制度を作るために、多くの時間とリソースを費やしている。また集団内において創造性を奨励し、最善のチーム体制、組織プロセス、慣行を形成することにも気を配っている。まったく異なる視点や知識は創造性にとって重要であり、イノベーションのための新たな組み合わせにとって必須であるが、集団によってその視点や知識が結集されるのだ。

創造的なアイディアがうまく応用されると、役に立つイノベーションが生まれる。創造性はそれ自体が想像力をかき立て、刺激的で美しいものだが、イノベーションとして現れるまで経済的には無価値である。漸進的イノベーションか急激なイノベーションかによって、創造性のかたちも異なる。漸進的イノベーションでは通常、より構造化され、管理され、慎重に進むかたちの創造性が必要となる。急激なイノベーションに必要な創造性は、既存の慣行や物事の進め方に制約されないものとなる場合がある。

人びと

幹部たち

幹部たちが、新たな進歩の本質について明確な考えを持っていることは少ないのかもしれないが、彼らのコミットメントや目に見えるサポートなしに、組織内でイノベーションが起こることもまれだ。幹部として重要な責任のひとつは、新たなアイディアの創出と実行を奨励することだ。幹部はイノベーションを支援するためのリソースを見つけ、反対者から守り、従業員が新しいアイディアに夢中になることを許可する。新たなアイディアが現状を脅かしたとき、既得権益によって必ず反対が起こるからだ。〔ニッコロ・〕マキャベッリは、『君主論』のなかで次のように述べている。

物事に新秩序を創りだすことほど、計画するに困難で、成し遂げるに危険なことはない……。敵方に革新者を攻撃する能力があるならば必ず、彼らは党派的な情熱をもって攻撃するし、反対にほかの者たちは緩慢にしか革新者を擁護しないため、革新者とその仲間は等しく弱い立場なのだ。

革新性の高い組織の著名な幹部、たとえばエジソンが残したひとつの教訓は、彼のようなリーダーは社員を支援する文化を創りだし、そこでは新しい何かを試みるように奨励され、失敗しても水を差されはしないということだ。一九四八年、3Mの会長、ウィリアム・マックナイトは、続く一〇年間における同社の戦略を特徴づける取り組みについて、次のようにまとめた。

われわれのビジネスが成長するにつれ、責任を委譲し、部下たちが自発性を発揮するように奨励することがますます必要になる。これには大変な忍耐が求められる。権限と責任を委譲された部下たちは、もし彼ら／彼女らが有能であるならば、自分たちの仕事を自身のやり方でやりたいと望むだろう。

誤りは起こるものだ……。誤りが生じた際、上層部が破壊的なほどに批判的であると、自発性を殺してしまう。そしてわれわれが成長し続けるのであれば、自発性を持つ多くの人びとの存在が必須なのだ。

失敗におわったプロジェクトを率いた若手マネジャーが、びくびくしながらヘンリー・フォードに辞表を提出したことがある。これに対するフォードの反応は、自分の資金を使って貴重な教訓を学ばせた後で、その人を手放し競合相手のために働かせるなどとんでもない、というものだった。

管理職

組織のトップから支援を与える幹部と同様に、特定のイノベーションには、管理職のなかに情熱的で権限のある「庇護者」や意思決定に大きな責任を持つ後援者が必要だ。チームの管理、技術や設計上の問題の調整、工程や決定を実行することに長けている点に加え、イノベーションに関与する管理者は、その価値を主唱し支援を求めて働きかけをおこない、イノベーションが何を実現し提供するのかについてビジョンを創りあげることにも、熟達していなければならない。

バウンダリースパナー

イノベーションにおいて個人が果たすもっとも重要な役割のひとつがバウンダリースパナーであるが、これは組織間および組織内において情報をやり取りし、橋を架ける能力を持つ人物のことだ。かつて製造企業では、このような人物が技術に関するゲートキーパーとして知られていた。彼らは読書や大規模な会合、展示会への参加を通じて貪欲に情報を集め、組織内の必要とする部署に有用な情報を伝える能力に長けている。組織にとっては、バウンダリースパナーを任命することを正当化しづらい場合がある。デスクや作業台に着いていなければならない者は、バウンダリースパナーが持つ出張、会合への出席、多くの人びとと話すという権限を、ときとして正しく評価しない。しかし彼らが果たす役割は、イノベーションにとって非常に有益なものだ。

すべての個人

ポストイット・ノートは、３Ｍがもっとも成功させたイノベーションのひとつだ。このイノベーションの中核技術、つまりこびりつかない接着剤の開発者に対しては、ふさわしい評価が与えられた。反対に、購入する者などいないと主張した同社のマーケティング部署は、十分な非難を浴びる結果になった。しかし、組織内でこの製品の可能性を理解し開発を奨励した人びとについては、少なすぎるほどの称賛しか与えられていない。マーケティング部署がポストイットのアイディアを拒否した後、製品開発陣は、サンプルを同社の本部長らの秘書たちに送った。秘書たちはただちにポストイットの価値を見いだし、このアイディアが進められるように自分たちの上司から支援を引きだしたのだった。

イノベーションは組織内の全員に影響することから、多かれ少なかれ全員が責任を負うものとなる。工具の作成など、エンジニアリング上の伝統的な手仕事に用いられる技術の多くがコンピュータ化されると、ディスキリングあるいはリスキリングとなる仕事の機会が生じた。多くの雇用者は、数値制御工作機械のケースにみられたようにディスキリングの道を選んだが、その後、リスキリングをおこない現場労働者に担当作業の裁量を与える利点を理解した。これは機会を与えられさえすれば、人びとには変わることも、そしてイノベーションに生産的・創造的に対応することもできる能力があることを示している。エジソンの言葉を借りると、そのような機会は、労働者に対して考える力を養う喜びを与える。工場の現場から生じたイノベーションが持つ潜在力は、労働者を実験室や実験場に匹敵すると表現する人もいるほどだ。

イノベーションを奨励するために用いられる重要なツールのひとつに、報酬制度や評価制度がある。多くの組織にはアイディアを提案する仕組みがあり、ＩＢＭやトヨタのような企業は従業員から何十万ものアイディアを引きだしている。アイディアによっては、金銭的な報酬があったり同僚から評価が得られることもある。たいていの場合、もっとも効果的な評価のかたちは、組織によるアイディアの実践だ。革新的なアイディアを持ち、その実践を追求する能力を持つ個々人が組織に散在していることは、イノベーションのためのリーダーシップが、上下関係のなかで高い位置を占める人びとの責任に限ったものではないことを示している。

人材の開発と訓練に注力することによって、才能あるマネジャーや変化を恐れない社員を魅了し、彼らに報い、定着させ、他方で変化を恐れる者を落ち着かせることができる組織であれば、どのようなイノベータであっても最高の支援を得られる。革新的な組織では、任命手続き、給与とインセンティブのシステム、キャリア・パスが定められており、イノベーションのために適切な人員配置を確実におこなえるようにしている。イノベーションの創出を得意とし、そのために勇気づけたり報いたりする必要のある者がいる一方で、イノベーションを応用する手続きの構築に優れた者もおり、彼らは異なるかたちでの評価を必要とする。またほかには、性格的にイノベーションや、少なくとも大きな変化に対して恐怖心を持ち、それを脅威とみなす結果、ストレスを感じてパフォーマンスが落ちる者がいる。革新的な組織であるとの評判は、自身も革新的であろうと応募してくる候補者にとっては非常に魅力的であるが、不適格な者を選任しないよう、選考メカニズムによって精査しなければならない。イノベーションに動揺する従業員にはサポートが、そしてイノベーションが導入される際には彼らへの手引きが必要だ。

技術

一九六〇年代、ジョアン・ウッドワードが英国南東部の工場組織についておこなった研究は、技術と組織の関係を明らかにする発端となった。彼女は、製造形態が大小のロット生産であれ大量生産、連続フロー工程であれ、これらとは無関係に、組織のありようを決めるのは中核となる基本技術であることを示した。使用する技術によって組織が決まるという視点、つまり技術決定論は、〔それ以外の要因による〕選択がどの程度、可能であるかを議論する研究によって割り引かれるものであり、この視点はウッドワードも認めている。とはいえ技術の影響度は大きく、また産業界の組織化と、その業界が分業を通じてイノベーションから恩恵を受ける度合いとのあいだにも、関係が存在する。つまり産業によって製品やサービスは大きく異なっていることから、製造や運用の技術も異なるのだ。

イノベーション技術

エジソンは、一方で高品質な科学装置の、他方で「ガラクタ」、奇妙な機械、ほかとは異なるさまざまな材料の価値を知っていた。これらの機械や人工物が、イノベーションを刺激するのだ。多くのスケッチがエジソンの思考を助け、他者にそのアイディアをよりうまく伝えたように、実際に設計図や試作品を作ることで各人の努力が集約され、異なるスキルや視点を持つ人びとを結びつける。多く

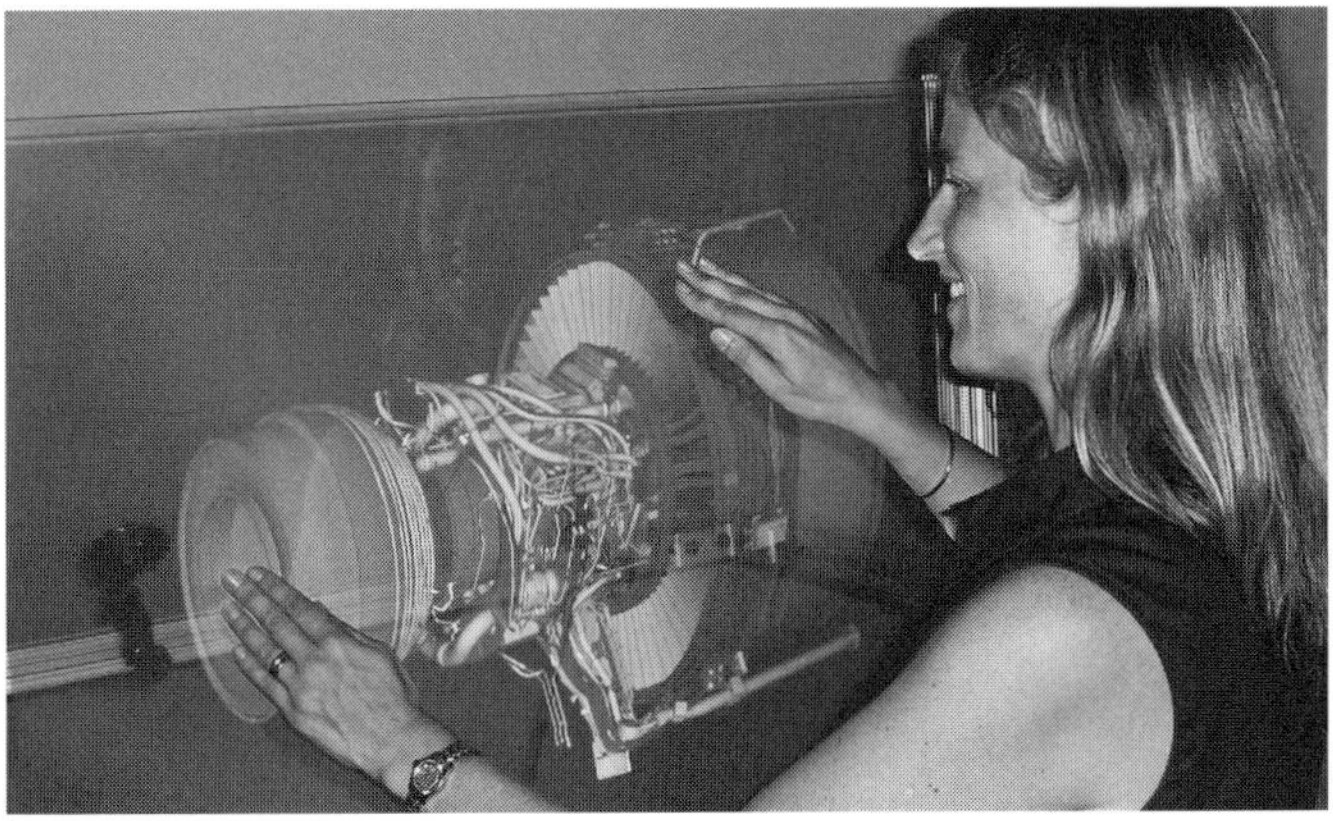

図版9　Touchlightのように，エンジニアリングや設計においてはコンピュータによる視覚化，仮想現実ツールがますます使用されている。

の場合、新たに出現し、だんだんと集約されていく設計をめぐって、イノベーションのアイディアが有機的・相互作用的に育っていく。

新しい技術によって設計やネットワークはデジタルの世界へと越境し、そこでは「発明品の迅速で安価な開発と商用化」というエジソンの意図が、彼が想像しえなかった方法によって実現されている。新製品に関するデジタルの設計情報は、それらの製品を製造する装置へと送られる。その設計自体も、製造の際に何が可能かについてシステムが手引きしている（図版9を参照）。

膨大な演算能力、異なるデータセットを統合するソフトウェア、コンピュータ・ゲーム業界で多用されているする新しい種類の技術が生まれた。「イノベーションを支援術」（IvT）がこの呼称を持つのは、イノベーションの過程におけるさまざまな要素の組み合わせを容易にするからだ。

ＩｖＴは、組織内や組織間でのさまざまなインプットを統合し、イノベーションの速度と効率を向上させるために用いられている。この技術には、次のようなものがある。

・新製品やサービスの設計を支援する仮想現実ソフトウェア・スイート
・設計の速度を大きく向上させるシミュレーションやモデリング・ツール
・科学者や研究者のコミュニティを構築し、彼らが協力プロジェクトを管理しやすくするためのデータ・サイエンス
・研究内容の向上、顧客の理解、供給品の管理を支援する人工知能、機械学習、ビッグ・データの高性能なマイニング技術
・イノベーションの速度を向上させるバーチャル・プロトタイピングやラピッド・プロトタイピングの技術

これらの技術はまとめて、イノベーションに関する決定をより効率化するために使われているのだ。

ＩｖＴが実験と試作をデジタルの世界へと移行させたため、企業は安価に実験をおこない「頻繁に、早いうちに失敗」できるようになった。この技術は、電気・ガス・水道設備、空港インフラ、通信システムなど、実物大の試作品による試験が通常は不可能な、大規模かつ複雑なシステムの設計にとっても非常に重要だ。

ＩｖＴが持つもっとも重要な特性のひとつは、知識を表現、視覚化しやすくし、また、さまざまな領域、分野、職業、および「実践共同体」を横断してそれを伝搬しやすくすることだ。実例として、

新しいビルの設計を旧来の手法とIvTとによって比較してみよう。IvTを使うと、さまざまな集団が持つ複雑なデータ、情報、観点、好みが見えるようになり、理解可能となる。仮想表現によって、建築家は最終的な設計がどうなるかを視覚化しやすくなり、顧客にとっても作業がはじまる前にビルがどのように見え、感じるのかをよく理解できるようになるため、彼らの期待も明確になりやすい。顧客は仮想空間のビルを「歩いて通り抜け」ながらレイアウトを感覚的に理解し、実物がない段階でも「感じる」ことができるのだ。IvTは、契約企業と工事業者が仕様や要求事項を理解するのを助け、防火検査官などの規制当局にとっては、ビルが規制要件に適合しそうか自信を持って評価できるようになる。IvTによってイノベーションのプロセスにおけるさまざまな関係者、つまり供給企業と供給先、契約企業と下請企業、システム・インテグレータと部品の製造企業が、より効果的に協力して新製品やサービスを実現できるのだ。

IvTの活用によって、きわめて劇的なイノベーションも起こりうる。二〇〇一年、ワールドトレードセンターでは非常に多くの死者が出たが、これはビル内にいた人びとが非常階段を降りようとして、同じ階段を上ってくる消防士とぶつかり閉じ込められてしまったためだ。同センターの代替であるニューヨークのフリーダムタワー〔後にワン・ワールドトレードセンターと改名〕のために、極限状況下で高層ビルから人びとを避難させる新しい方法が検討された。緊急時におけるビルの挙動と人びととの行動に関するコンピュータ・シミュレーションおよび視覚化によって、火災工学者は、もっとも安全な脱出方法がエレベータの利用だと信じるにいたった。安全に関する凝り固まった視点を、「火事になったらエレベータを使いましょう」というメッセージに変えるには、ビルの所有者と利用者、技術者や建築家、消防士や防火に関する規制当局、そして保険会社へ向けた大変な説得が必要となる。この根本的な変化を共有された相互理解とするために役立ったのが、詳しい説明を複雑な図面とデータセットから、たやすく理解可能なデジタル・イメージへと動かしていく手段だ。火災工学者はさまざまな新しいシミュレーション技術や視覚化技術を用い、右に記したいろいろな関係者が高層ビルの安全について持っている理解が変わるのを助け、そして迅速な避難のために革新的なアプローチを探るように促したのだった。

第6章　未来を革新するということ

本書は、産業革命の初期に起きたイノベーションの説明からはじまった。本書のおわりに、未来がどのようになるのか、想像しながら垣間見てみることにする。イノベーションには、膨大な難題と機会がともなう。アイディアから新たな富の源泉を創りだすのに加えて、気候変動に立ち向かい、より良い水や食料を供給し、健康や教育を向上させ、持続可能なエネルギーを生産するには、イノベーションが不可欠だ。人口増が続く惑星の上で共存し続けるためにも、イノベーションは欠かせない。

イノベーションのために用いられる工程は、ますます複雑さの度合いを増してきている。それらの工程は、ジョサイア・ウェッジウッドのような一八世紀の起業家によるさまざまな活動、トーマス・エジソンが一九世紀にはじめた公的な組織内部での研究、そしてステファニー・クオレクが働いた二

○世紀半ばから後半の大企業による研究開発部門から進化してきた。今日では、ネットワーク上に分散し、新技術に支えられた複数の関係者がイノベーションに関与しており、第2章で説明したイノベーションの五つのモデルすべてが、その意味合いを強めている。それらのモデルとは、科学の側からのプッシュ、需要の理解と対応、組織内におけるイノベーション関係者のより上手な組み合わせと外部の関係者との協力、そしてデジタル技術を活用した戦略的統合とネットワーキングの向上である。

未来において革新性を発揮するために重要なのは、創造性を育てる能力、そしてよく計画を練り、十分な情報を持ち、他者とよくつながったうえで決定や選択をおこなう能力を、組織が持つことだ。起業家精神を持つ個人やチームが機会を見つけ、リスクをとって新種のベンチャーを立ち上げる能力にもかかっている。イノベーションの機会は、従業員、起業家、研究開発、顧客、供給元、大学といった多様なアイディアの源泉から継続的に発生する。難しいのは、もっとも良いアイディアが出るように奨励し、それを選別し、何らかのかたちに作りあげることだ。探求や実験に対する、そしてアイディアをさまざまに検討することに対する貪欲さ、アイディアを有用なイノベーションへと確実に変えていく不屈の精神と柔軟性も、行動様式として重要になる。

企　業

経済や技術が急速に変化し不安定であるときには、急激で破壊的なアイディアを受け入れ実行でき

「これはまったく以て革新的なアプローチだね。ただ，申し訳ないが検討できない。前例がないのでね」。

図版10　イノベーションにはいくつかの難題が常につきまとう。

る企業の能力が、より大きな価値を持つ。しかし、これは難しいことだ（図版10を参照）。この図版のような状況では、実験的かつ動的な戦略、既存のアイディアの活用と新しいアイディアの探求とのあいだで、賢明なバランスをとる戦略が最善である。そしてこのような戦略は、人的資本および研究と技術に対する継続的な投資を必要とする。

　ＩＢＭの前最高経営責任者であるルー・ガースナーの言葉によると、イノベーションが組織のＤＮＡにしっかりと根づいている必要がある。並外れたイノベータやチームがその実績ゆえに報われるのは当然としても、イノベーションを起こすその責任と機会は全員にあるからだ。

研究開発への継続的な投資と、そこから生まれる吸収能力はきわめて重要であり続けるし、イノベーション・システムの内部で知識を交換および仲介する能力も同様だ。新たなアイディアを持つ源泉と企業がつながるには、世界中の大学との長期間に及ぶパートナーシップ、革新性のある都市や地域に深く根を下すこと、そしてそれらを支える「イノベーション技術」（ＩｖＴ）の効果的な管理が必要なのだ。

このようなシステムはその幅を広げているが、これは部門を越えて散らばる知識、知見、スキルが斬新な製品やサービスを生みだすために移転され、組み合わされるのに従い、産業の伝統的な区分も揺らいでいるためだ。たとえば、製造業において多くの価値を創出しているのはデザイン関係のサービスである。サービス部門と大学は革新的な方法で協力している。新たなデジタル・メディア、エンターテイメント、出版といったクリエイティブ産業では、イノベーションは成功の条件だが、これらのコンテンツは、たとえば携帯電話通信に携わり、革新性の高い製品やサービスを提供する企業にとって非常に重要だ。農業や採鉱のような資源産業において効率性を向上させ、製品の改良を支援するにはイノベーションが必要であるし、たとえば水資源管理のためのイノベーションには、より広範な用途がある。

ビジネスにおけるイノベーションのアイディアは、多様でしばしば予期せぬその源泉が、新しく予見もできないようなかたちで組み合わされることから生まれる。複雑化したイノベーションに対しては、より倫理的で責任ある意思決定をおこなっているか監督し、リスク管理を強化するために、これまでにない形態のリスク・ガバナンスが必要となる。

中小規模の組織は、スピード、柔軟性、集中度において大規模な組織より優れているため、ますますブレイクスルーとなる技術を生みだすようになるだろう。大きな上場企業と比較すると、小企業は通常では考えられないようなリスクをとりやすい。また、大企業にみられる組織的な硬直性によって制限されることもないため、新奇性のあるビジネス・モデルやプロセスを容易に作りあげ、試すことができる。中小規模の組織は、新たな形態のイノベーション・ネットワークや協力のパートナーシップによって、大企業が持つより大きなリソースを見つけ、自らが持つ行動様式上の優位性と組み合わせていく。大規模な組織は今後も、より小さな組織が持つ起業精神に溢れた環境を模倣しようと、実験を続けるだろう。多くの大規模組織は、構造をよりフラットに、つまり階層をより少なくする傾向にある。この傾向を支えているのは技術であり、情報へのアクセスを容易にし、組織の部署間や階層間でのコミュニケーションを進めることで、かつてと比べると組織の下層において決定が下されるようになっているのだ。

組織に関する将来的な傾向としてもうひとつ挙げられるのは中抜きであり、これは技術によってサービスの提供者と利用者が直接つながることを意味する。このため、外貨両替に使われるウェブサイトが新しく登場し銀行や空港の両替所でのサービスが不要となり、それらの場所での法外なレート差もなくなっている。慈善のための寄付は慈善団体を経由するのではなく、個々の対象へ直接おこなえるようになった。

エジソンが理解していたように、イノベーションは目的に適した方法で組織されなければならない。制約を設けずにアイディアを探すことには、幸運や偶然の産物が多くの報酬をもたらしうるという利点があるものの、組織的な重点や方向性とバランスをとることが必要だ。対応能力をはるかに上回るほど多くの機会が存在しているなかから選択しなければならず、これらの選択によって組織が用いるスキルや投下するリソースに形や方向性が与えられるのだ。この選択を支援する戦略的イノベーション・マネジメントのスキルは、ビジネスにおいてもっとも重宝されるもののひとつとなるだろう。

機　構

政　府

第4章で論じたようなイノベーション政策を進めることに加えて、イノベーションのストックとフローを増大させるために、政府は高度な政府間調整を国際的にも、地域的にも、そして地方においてもおこなう必要がある。

現代における多くの問題に取り組むためにイノベーションを活用するには、一か国で集められる以上のリソースやスキルが求められる。温室効果ガスの排出をコントロールし、核エネルギーを管理し、薬剤を規制し、サイバーセキュリティやテロに立ち向かうなど、いくつかの難題は一国のレベルでは簡単に解決できず、国際的な討論の場で取りあげなくてはならない。国益と国際的なアプローチの必要性とのバランスが、イノベーション政策をますます難しいものにしている。さらに、創造性や知識の生産的な活用によって、かつてないほど社会福祉や経済的な繁栄が促進されるようになり、国家間の関係や格差にとっても深刻な意味合いが生じている。技術的、制度的、そして組織的に恵まれた国々が、同等の優位性を持たない国々をさらに引き離すことで、すでにある格差が悪化する可能性がある。政府間機関がこのような問題を監視し、対応策を検討しなければならない。

イノベーションに関する重要な決定の多くは、国家レベルではなく、強力な自治体や地方政府によっておこなわれることが多くなってきており、彼らは投資や才能を惹きつけるため、国内において、また国際的にも活発に競い合っている。効果的なイノベーション政策のためには、国内での政府間調整や協力分野における専門的な技能も必須だ。多くの国において、以前は国有の資産だったエネルギー、運輸、そして通信分野が民営化され、かつてはイノベーションを強化するために政府が握っていた直接的なコントロールが取り除かれた。その代わりに新たな規制当局が作られたが、民間部門でのイノベーションを支援するためにこれらの当局が果たす役割を、これから模索し増やしていく必要がある。政府にとってもっとも難しいのは、ひとつには技術の変化とその意味するところを遅れずに追い続けることだが、これは、人工知能のような登場しつつある技術についてはことさらに難しい。しかし技術がもたらす好ましくない結果を効果的に規制するためには、それらを完全に認識している必要がある。民間部門はしばしば、規制とは制約を設ける取り組みだと非難しており、この点は政府も留意すべきだが、自動車の排出ゼロや再生可能エネルギーに関するエネルギー負荷〔発電需要への対応〕の要求など、規制によってイノベーションが刺激されることもある。官民連携によって二つの領域の境界が曖昧になったことにより、政府の役割も複雑になっている。この組織形態には、イノベーションへ投資するためにほかでは得られないリソースが入手できることを含め、官民双方にとって利益がある。しかし、イノベーションのための資産と知識の所有権や管理を異なる動機が形づくっていることがあり、私益と公益のあいだに緊張が生じる場合もある。政府によるイノベーション政策は、ビジネスへの深い関与と、政策から生じうる成果の長所と短所についての理解にもとづき策定されなければならない。イノベーションの多くはまた、政府が集めたデータを適切に匿名化したうえで起業家や組織に対して公開し、独創的で新しい製品やサービスが創りだされるようにすることで引き起こされる。

政府が提供するサービスのイノベーションについても、将来的に大きなチャンスがある。その例として健康や福祉関連の技術があり、これはウェアラブルな監視装置と携帯電話を用いて在宅による医療診断を支援し、高齢の患者をモニターして入院へといたらないようにするというものだ。遠隔医療はオーストラリアで用いられており、遠隔地のコミュニティに医療サービスを提供している。インドでは、モバイル機器を貧窮した村落へと搬送し、都市部の病院とデジタル回線をつなげて診断をおこなっており、以前は地方の貧困層には得られなかったレベルの医療を提供している。人工知能を用いて危機がいつ発生するかを予測することも可能であり、たとえば穀物の不作から飢饉を予見し、先手を打って支援物資を送ることができる。

イノベーションに寄与する一環として、政府は新しい技術を活用し、市民が要求するサービスを設計し、届けるための意思決定をより包摂的で参加型にする手段とすることもできる。たとえば、新しい医療センターを実際に建設する前に、仮想現実の技術によって提案中のセンターを創ってみせることで、医療の専門家や患者から設計をより良くするためのインプットを引きだすことができるのだ。

将来の繁栄を維持するためのイノベーション投資としてどこに焦点をおくか、政府が選択するプロセスは、政策決定におけるもっとも重要な領域のひとつだ。いずれの国も、すべての分野でイノベーションを起こせるだけのリソースはなく、希少なリソースをめぐって競合する要求のあいだでやりくりしなければならない。政府は、直面する「大いなる難題」に対する選択をおこなうために洗練されたアプローチを確立しなければならず、同時に、さまざまに広がる分野のあいだで十分な投資が確実におこなわれ、常に複数の選択肢があり、他国で発展した有用なアイディアを国民が吸収できるようにしなければならない。何を優先し何を優先しないのかを決定するには、ビジネス、社会、環境の各種団体と幅広く協議をおこない、将来の難題について合意を形成するために、知識を十分に共有したうえで一般市民による討論をおこなわなければならない。

政府にとってイノベーションが重要であり、また必要な連携を図って良い選択をおこなうには困難がともなうため、イノベーション政策を策定するには幅広く深い技能が求められる。この技能は、イノベーションの重要性と性質に関する理解を政府組織の隅々へと広げ、「政府が一体となった」アプローチの形成を促進するものだ。イノベーションの有用性と難しさがより良く認識されるようになると、官公庁ではリスクに対する忌避感が非常に強い点も明らかになる。イノベーションに広範、分散、そして包摂的な性質があることを認めれば、公共政策にはイノベーションを評価するためのより良い方式、つまり研究開発支出や特許出願といった部分的、かつしばしば誤解を招く指標に代わるものが必要となるのであり、この分野での新たな取り組みと技能も求められている。社会ネットワーク分析といったツールを用いて、たとえば連携パターンの変化を計測することも可能だろう。イノベーション政策の策定にあたっては、イノベーションとは継続的な挑戦であり、単純な「解決策」など存在しないことを認識しなければならない。イノベーションとは進展するにつれ新たな問題が生じるものであって、政策もそれに応じて変化する必要があるのだ。

大学

大学は、世界でもっとも速く経済成長を遂げている地域をつなぐ中心的なハブとなっている。研究によって発見をおこない、学際的・国際的な中枢に存在する専門知識を結びつけることにより、大規模で複雑な難題に以前にも増して取り組むようになっている。科学上の関心と急迫する社会ニーズはますます密接に関係するようになっているが、この点は生命科学における研究、たとえば合成生物学、生命工学、栄養学といった分野や、耐性菌などの深刻な問題への取り組みをみれば明らかだ。大学が提供する教育は、将来のリーダーや専門職になるべく学生を備えさせることにはじまり、いまのところは未知の職業や仕事のために準備させることにまで及ぶ。研究や教育を通じてイノベーションを促進することに加え、知識を交換するため、そして大学の外でアイディアを流通させるためにも、大学は投資している。大学は、協力によって新たな教育、研究サービスを創りだし広めるための機会が多く得られることを歓迎し、知的財産の公的な保護、許諾、スタートアップ企業といった形態をとる「技術移転」の限定的なモデルを超えていかなければならないのだ。このような戦略には、ビジネス、政府、そしてコミュニティのステークホルダーと関与するための複数の方策が必要となるが、しかし同時に、その戦略は学究的な価値観によって動かされていくだろう。大学は、研究、ビジネス、政府においていろいろなかたちで働くことができる人びとを教育し雇用し、イノベーション・システム内のさまざまな場所のあいだにつながりを作るが、これらは幅広い技能を持った卒業生が移動することによって促進され、またデジタル技術の活用によって高度化されるのだ。

大学は引き続き、科学や工学のための大規模な研究用工具や機器を作りだす役割を果たすが、これは発見やデータ探索を促進し、人びとが未知の領域を探検できるようにし、ほかでは見たり計測したりできないものを扱うためだ。イノベータが求める共通化された標準を作るためにリーダーシップを発揮し、活力の溢れる産業界での新たな製品やサービスの発売を支援もする。大学は、新たな企業や産業創出の種を播いているのである。

イノベーションを支援するために大学が担うもっとも重要な役割のひとつは、「練習場所」や協働可能な研究室を備えて、ビジネス、政府、コミュニティとの遊び心に満ちたやり取りや、深く息の長い会話、そしてアイディアの生成や試行の取り組みを提供することだ。研究者は今後も、学問としての厳密性や分野の独立を念頭に仕事を続けるだろうが、このようなやり取りを通じて多くは、異なる学問分野間の接点や研究が社会・経済に与える影響を模索する、分散型チームのメンバーであることにも慣れていくだろう。大学は学問上の評価とキャリア・アップに必要な物理的・組織的な構造やインセンティブを提供するという点では非常に成功しているものの、右に記したような取り組みに人を集め、また彼らに報いるためのより良い空間や手法については、探ってみる余地があるだろう。

イノベーションを革新する

ウェッジウッドの時代と同じく、イノベーションは今後もアイディアの結合から生じるだろうが、アイディアはかつてないほど世界中に拡散・分散しており、これらの統合には、以前にも増して技術の利用が助けとなる。ウェッジウッドが非常によく理解していたとおり、イノベーションとは「供給サイド」における条件、つまり研究や技術開発といったイノベーションの源泉を、市場における需要についての深い理解と結びつけることだ。賢明なイノベータは、変わりゆく消費のパターンやその意味するところ、そして革新的な製品やサービスの購入を決定づける価値観や規範を理解することに没頭している。これらのパターンにはグローバリゼーションが影響しており、移ろいやすい性質を持つ。実質的な代償にかまわず誇示的消費で育った世代が、持続可能性を懸念する別の世代から軽蔑されることも起こりうる。新しい技術には、利用者のコミュニティなどより多くの関係者をイノベーションに参加させる力があることを認めたうえで、それら関係者の動機について、そしてどのようにすれば彼らの活力と知見をもっとも効果的に活用できるか、より良く理解する必要がある。

その規模や部門を問わず企業のイノベーション戦略は、産業化時代の事前計画による連続モデル、またステファニー・クオレクの発見につながった研究開発のための企業内研究所という方式を越えなければならない。予期せぬ場所で起こり、高い不確実性と大きな複雑性をともない、協力を通じた組織学習が生存と成長に重要な役割を果たすような機会を作りださなければならないのだ。資本利益率や株主への四半期ごとの報告といった、企業がこれまで用いてきた財務状況の限定的な測定値と説明法を、イノベーションや組織のレジリエンスに関してより意味のある指標で補わなければならない。たとえば、研究をおこなうことにより組織の将来にとってどのような価値を持つ選択肢が得られるのか？　模索あるいは開発中のイノベーションは、一〇～二〇年後、組織の大部分をどのように変える可能性を持つのか？　研究に対する投資は、組織の学習能力をどのように高めているのか？　信頼される協力者、倫理的な雇用者、持続可能性を持つ生産者であることの価値は何か？

進化論的な見方は経済学的な思考にとっても有用で、この見方によってイノベーションにおけるリスク、不確実性、失敗を当然のことと考え、直線的で計画されたシステムから、オープンで順応性を持ち、高度につながったシステムへと移行することができる。アイディアや学習から生まれる価値が、経済成長や生産性のもっとも重要な牽引力として認識されるようになっている。科学、芸術、工学、社会科学と人文学、そしてビジネスの各分野をまたいで新しい結合を探すことの重要性が高く評価されており、これと関連して、組織、職能、分野の境界を超えて連携を築く仕組みや技能がますます必要となっている。注目されているのは、イノベーション・システムのつながりや能力をどのように向上させ、複数の組織からなる生態系を発展させるかという点だ。この生態系は、想像もしなかったような新しい結合から生じる可能性もある。人類学が地域のエネルギー生産と供給に知見を提供し、哲学が半導体回路の設計に影響を与え、音楽についての研究が金融サービスの提供に影響することがありうるのだ。

イノベーションは、ＩｖＴによって増強される。現実世界に組み込まれた膨大な数の装置やセンサーなどの機器類によって想像を超える量のデータが集められ、これらのデータは新技術によって仮想世界を設計する際に提供されて、私たちが求める製品やサービスを創出、改善し、欲する経験を向上させるのだ。

イノベーションからは無害な、あるいは環境を向上させる製品や工程が生まれなければならない。イノベーションと持続可能な発展は、同じコインの表と裏になる必要があるだろう。気候変動、水資源の管理、遺伝子組換えを用いた農業、廃棄物処理、海洋生態系の保護、生物多様性の喪失といった持続可能性に関する難題の多くは、長く続くもので完全な解決策も存在せず、明らかになっている選択肢もわずかな試行錯誤の余地もない。論者によってその確実性が相反するという特徴があり、これらの問題に立ち向かう戦略としては解決よりも対処、何が最善かではなく何が可能かを探すことも必要だ。これらの永続的な問題に対応するために、イノベーションに関する研究から得た教訓を活用できる。たとえば、協力の促進・構造化と管理、連携、リスク管理と選択肢の評価、ソーシャル・ネットワーキング技術といった協力ツールの活用などだ。さらにはIvTの活用により、決定の影響をモデル化、シミュレーションしやすくなり、IvTが持つ可視化の力によって、多様な関係者のコミュニケーションと十分な情報を得たうえでの関与が進むことから、参加型意思決定にも役立つ。

より多くのイノベーションが、「トップダウン」よりは「ボトムアップ」で出現するという点で「包摂的」になってきており、特定の経済的・社会的な問題に直面する人びとが自ら解決策を作り、設計する裁量を持つようになっている。スマートフォン、ブロードバンド・ネットワーク、クラウド・コンピューティング、そしてブロックチェーン（クラウド上の情報に関し共有された記録の組み合わせであるブロックを用いて、情報を安全に格納するツール）が組み合わされ、あらゆる場所に行き届く安価なプラットフォームを作りだし、初めて世界でもっとも貧しい何十億もの人びとにも使えるようになっている。複数のアプリが登場して、たとえばスラムの住人や地方の困窮した農民が、市場価格、使用可能な水の量、医療サービスについてアドバイスを得ている。

包摂性を支援するイノベーションの一例が、携帯電話で利用可能なデジタル・マネーの登場だ。これは経済的な取り引きを物理的世界からデジタルへと移行する技術であり、公式経済に参加できる者とできない者の分断をおわらせるために役立つ。約六〇億の携帯電話が使用されていることからすると、今日、富める者も貧しき者も世界のほぼ全員が等しくモバイル機器にアクセスできている。しかしながら、世界七〇億の人口のうち、二〇億に満たない人びとしか銀行口座を所有しておらず、このため大半は銀行制度から排除されているのだ。銀行や金融サービス企業がモバイル技術を用いたことにより、初めて何百万人もがデジタル・マネーによって取り引きできるようになっている。小規模金融が携帯電話で利用可能となったことから、銀行の支店もＡＴＭもない地方や貧窮した地域ではサービスが提供されないという問題が克服され、以前は権利を奪われていた人びとがより広範な経済に参加できるようになった。いまでは、安価な携帯電話を使って少額の支払いをおこなうことができる。デジタル・マネーによって、公共料金を支払うために延々と並ぶといった官僚主義につき合わされたり、取り引きのために実際に会ったりしなければならない骨折りが緩和され、ここから時間という貴重なリソースが生まれている。

これらの技術を活用し、その利益を享受するには、デジタル・アイデンティティが必要となる。インドでは、「固有ＩＤ」プロジェクトによって住民一人ひとりに一二桁の固有の番号を発行しようとしており、この番号は集中型データベースに格納されて、基本的な人口統計の情報やバイオメトリック情報〔個人の身体的・行動的な特徴に関する情報〕と関連づけられる予定である。このプロジェクトではすでに一〇億人を超える人びとが登録されており、貧困層や社会的に恵まれない層にとっての利点としては、政府や民間部門による多くのサービスへのアクセスが初めて可能になったことがある。政府にはこれらの技術をコスト削減やパブリック・ガバナンス上の改善に用いる潜在能力もあるが、社会はデータ・セキュリティやプライバシーの問題に対応しなければならない。これは先進国においても非常に困難であるが、初めてデジタル技術に取り組む国々にとってはいうまでもないことである。

自動化と働き方の未来

イノベーションと自動化の関係は働き方の未来にとって、そして拡大する格差など社会のもっとも差し迫った問題にとっても重要である。人工知能やロボットなど、新たな形態の自動化がどのような影響をもたらすかについての見解は、実にさまざまだ。大量失業と無意味な単純労働の陰鬱な未来像を予測する者がいる。その一方で、単調な業務や危険な業務から解放され、創造性が高く有意義な仕事が可能になるとみる者もいる。専門サービス業のプライスウォーターハウスクーパース（ＰｗＣ）は、人工知能によって二〇三〇年に世界の国内総生産が一四パーセント伸びる可能性があると試算しているが、これは一五・七兆ドル相当の増大であり、新たな商業的機会として大規模なものとなる。

ここで、イノベーションとは創造的破壊のプロセスであるというシュンペーターの金言に回帰することが助けとなる。自律走行車や無人自動車を例にとってみよう。世界中で毎年、一二〇万を超える人びとが交通事故で死亡しており、また内燃機関は汚染の主たる原因のひとつだ。無人の電気自動車に用いられる新技術によって、この人的・環境的な大量殺戮が劇的に減少する可能性や、ソフトウェア、視覚化、電池の製造と蓄電などの分野で新奇性の高い部門や仕事を創出する可能性がある。しかし、大型トラック、ワゴン車、タクシーの運転〔手〕は主要な雇用形態のひとつであり、ガソリン駆動の車を製造しメンテナンスする自動車産業は、多くの国家経済や地域経済にとってきわめて重要な一部だ。新たなデジタル技術によって、代わりとなる仕事を見つけられない人びとのあいだで失業が大幅に増え、甚大な社会的動乱を引き起こすかもしれない。その一方で、同じ技術によって仕事が再編されて、運転者が複数の車を同時に、また遠隔でコントロールするようになり、新たな種類の仕事が創りだされるかもしれない。このように自律走行車は、イノベーションが創造であり同時に破壊であるという見方の好例だ。イノベーションによる社会の発展には、創造的な面を倍加させ、破壊的な面は緩和することが必要なのだ。

自動化にともなう破壊的な結末については多くの厳しい分析があり、二〇三〇年までにすべての仕事のうち、半分が危険に晒されるとの試算も存在する。ＰｗＣの試算によると、二〇三〇年代の初期までに、英国では雇用の三〇パーセントにあたる一〇〇〇万もの仕事に大きな危険が及ぶ。自動化による影響がもっとも明らかなのは機械的で反復的な業務であり、運輸、製造、小売といった部門はリスクが高いと考えられているが、ほかの部門も同様に脅威に晒される。機械学習のような自動化プロセスの活用が増えたため、銀行、保険、法務関連の職業を含む業界に影響が生じている。機械が非常に大量のデータからパターンを学習し、新しい情報を解釈するための独自ルールを構築して、人間からのきわめて少ないインプットだけで問題を解決し学習できるようになる。機械学習には、構造化されていない情報を有用な知識に変換する能力がある。機械学習はたとえば、保険金の請求、確定申告の自動化、刑事犯罪の判決に利用されている。会計士、弁護士、コンサルタント、医師といった多数の専門職が、自身の仕事がどのように変化するのか、懸念を抱いている。

スティーブン・ホーキングやイーロン・マスクのような先導的科学者や起業家も、人工知能の影響について心配しており、とくに自律的で人間による監督が不要である面を懸念している。彼らは人工知能が非常に強力になり、人間がもはや機械と同じ速度でアイディアを作りだせなくなる世界に対する恐怖を語っている。問うべき点は、どのようにこれらのイノベーションのプラス面を促進し、マイナス面を改善できるかである。

学習能力を持つ機械によって、人間がより優れた決定をおこなうことも容易になる。人工知能のパイオニアであるデミス・ハサビスは、技術が社会を支援することによって環境が守られ、病気が治療され、宇宙が探査され、くわえて私たち人間に関する理解も増進すると信じている。コンピュータによって計算スピードが上がるとともにその手間が減少したが、人工知能と機械学習によって予測と発見の速度を上昇させ、そのコストを削減することができる。これは情報が不完全で部分的にしか得られない場合や、気候変動への対処やアルツハイマー病の治療のように問題が非常に複雑な場合に、とくに有用だ。機械学習を人間による意思決定と並行して使用する機会としては、予見可能性が低く、業務をめぐって多くの社会的やり取りや個人的裁量が存在するような状況がある。

重要なのは、将来の自動化が人間による判断を置き換えるのではなく、これを拡張するために活用されることだ。人工知能と機械学習により、医師は患者に関してより良い情報を得ることが可能となり、たとえば、大規模な集団から得たデータと対比させながら人体のスキャンや血液検査の結果を分析して、一人ひとりに合わせた診療や治療を作りあげることもできるが、十分な知識を持った臨床医が常に決定を監督する必要がある。その結論がどのように得られたか説明できず、知識を持つ人びとによって評価できないのであれば、機械による回答を受け入れてはならない。くわえて、すでに存在する知識の状態を把握するにつれて、物事はどのようになりうるか、なるべきかよりも、どのようであるかを機械学習は反映する。これらの技術を使う場合は、機械学習の限界、そして知見や未来についての夢が、既存のデータにあるバイアスや現時点までに判明している内容によって、どのように制約されてしまうかを理解していることが求められる。問題に対して機械がはじきだした解決策に、倫理的な考慮、共感、人間の当たり前の良識、そして常識を重ね合わせる重要性は不変なのだ。

人間の直観と判断力の活用は、引き続き強調され奨励されるべきものだ。人間は、デジタルの世界ではわからない物事やつながりを、心の目を用いて想像することにきわめて長けている。カール・マルクスが語ったように、建築家が蜂と異なるのは、実際に創りだす前に想像力を使って見ることができる点だ。人工知能がピカソの『ゲルニカ』を着想し、〔オースティンの〕『高慢と偏見』を執筆し、〔モーツァルトの〕『魔笛』を作曲するさまは想像しづらい。米国で実施され大統領府へ提出された機械学習と自動化の影響に関する調査にあるように、人工知能は「依然、社会的知性や一般的知能、創造性、人間の判断力を再現できず」、将来も「手先の器用さ、創造性、社会的交流や知性、そして一般知識を必要とする雇用は成長していくだろう」。英国首相へ向けた働き方の未来に関する報告書では、自動化と人工知能について次のように結論づけている。

その設計が人間の志、自律性、行動、そして限界を完全に考慮に入れたと仮定しても、自動化も人工知能も人間の生産性を効果的に助けるために機能することしかできない。自動化によって仕事上の経験が不必要なものとなるのではなく、それを向上させる真の機会がここにあるのだ。

マーティン・フォードによる『ロボットの脅威』では、仕事に対する自動化の影響について憂慮すべき姿が描かれている。とはいえここにも、楽観的な要素がある。ロボットは製造されなければならず、設備、資本、労働者が必要だ。工場における組立作業では膨大な数のロボットが使われており、品質や効率を向上させ、反復的で疲労困憊するような多くの仕事を代替している。自動化されたマイニング用トラックや自動運転の農業機械は、もとよりロボットだが、採鉱や農業の生産性を上げている。ロボットによって神経信号に反応する人工装具が可能となり、尊厳を傷つけずに支援をおこないながら高齢者を助けている。ロボットはまた、困難で危険な業務に用いることもできる。ロボットは外科手術に使用されているが、その理由はロボットが正確で（手の震えがないことから）非常に安定しており、たとえば患者の状態についてコンピュータが生成した内容によって目の前の現実を置き換える拡張現実により、外科医がおこなう作業に対し新たな情報を追加できるからだ。保安業務についていえば、ロボットで可能である場合に消火活動や稼働中のガスパイプラインの修理、あるいは爆弾処理のために、人命を危険に晒す理由があるだろうか。

切れ目なく続くイノベーションの流れのなかでは、創造的破壊のプロセスが働いている。類を見ない自動化技術が現在も開発されており、日常生活に影響するようになるだろう。購入直後に小包を配送するドローン、現場での同時翻訳、衣類を洗濯しアイロンがけするロボット、新素材の3D印刷など、枚挙にいとまがない。これらの技術のうち、いくつかは重要な利益をもたらし、それ以外のものはどちらともいえず、多くは取るに足らないと消えていくだろう。その広がりと影響、創造力と破壊力を決めるのは、広大な範囲に及ぶ経済的、社会的、文化的、政治的な要因の相互作用だ。成功の決め手となるのは、人びとに対してそれらの技術が与える代償や価値に加え、政府による規制や個人、集団の行動、そして社会における姿勢の変化である。無人自動車の話題に戻るとすると、新たな規制が必要になるのは、たとえば次の質問に対する回答を見つけなければならないときだ。もし自動車が衝突したら誰が責任を負うのか、自動車の製造者か、ソフトウェアの提供者か、それとも乗客か。また、より多くの車がプールされシェアされてオンデマンドで貸し出されるようになり、多くの人びとにとって非常に重要な、特定の車を所有するステータスが縮小していくならば、新しい行動様式が必要となるだろう。

イノベーションに対する社会の受容度は、その恩恵がたとえばビジネス・コミュニティのみではなく、社会全体に及ぶ場合に大きくなる。人工知能や機械学習がさらに進展するのは、その提唱者たちが巧妙な技術や生産性への影響力のみをプロモーションするのではなくなったときだ。疾病、依存症、交通渋滞など誰もが影響を受ける問題の予測と、したがってそういった問題の回避に有利だと人びとが理解するとき、これらの技術はより大きな意味を持つようになり、より多くの信頼を得るだろう。

ブロックチェーンは、銀行のような大企業が監視する集約化されたシステムに代わってクラウド上に情報を格納するツールであり、ビットコインなどデジタル・マネーの発展にとって非常に重要だが、現在、この技術が大きな意味を持つ人びとは少数派であるにすぎない。しかしながら、ブロックチェーンがより広くその魅力を発揮するのは、個々人が自分のみに制御可能な方法によって個人情報にアクセスできるようになる場合だ。パスワードであれ、個人の資金記録であれ、重要な文書であれ、完璧に安全かつ即座にアクセス可能なかたちで保存するために使われるとき、この技術ははるかに広範に拡散していくだろう。デジタル技術時代に社会が直面するもっとも恐るべき難題のひとつは、サイバー犯罪やサイバーテロの脅威だ。優先されるべきはブロックチェーンや量子コンピューティングのような、セキュリティを向上させる能力を持つ技術の開発だ。

自動化の破壊的な側面を和らげるには、想像力に富んだ新しい社会的取り組みも求められる。産業や部門全体が直面する混乱に対してはリスキリングのための、そしておそらくは影響を受ける労働者を再配置するための政策が必要となる。会計や法曹といった分野において、単調ではあるが専門職向けの訓練や導入として有益な新入社員レベルの仕事が減ると、若者により大きな影響があるだろう。若者を訓練するための新たなアプローチが必要であり、また雇用されていることよりも国民であることによって支払いを受ける社会賃金について、真剣な検討が求められる。教育や訓練のシステムも生涯教育に合うように、またほかの誰かのために生涯ずっと働く準備をさせるのではなく、起業したり専門職としてフリーランスの役割を担って働く人びとに合うように調整し直さなければならない。福祉関連の専門職、つまり高齢者や傷病者の支援に共感する人びとに対し、より大きな社会的価値がおかれなければならない。これらの再調整を負担するために、新たな税制が必要になるだろう。この新制度はビル・ゲイツが提案するロボットへの課税から、続いている格差を縮小するため、いまよりも相続税に注目することにまで及ぶかもしれない。さらに、技術の開発を広範なステークホルダーが指揮し動かすものとすることが急務であり、ここには技術の利用者や影響を受ける人びとが含まれる。もっとも明らかなことは、該当分野の専門技術者がより多様にならなければいけないということであり、とくに女性を増やしてその創造的・協力的なスキルを提供してもらう必要がある。

人びと

イノベーションが変化していくその様子に、私たちは個人としてどのように向き合うのだろう？ 官民いずれの部門、コミュニティ・グループで働いていようと、あるいは市民のひとりとして、どうすればイノベーションをよりうまく創りだし使うことができるだろう？ 人工知能は私たちの暮らし方、働き方、楽しみ方、そしてイノベーションの起こし方に、どのように影響するのだろう？ それは人間の能力を置き換えるのか、拡張するのか？ 技術により精通すれば、極度につながった世界においてより有効であるのも確かだろう。しかし私たちはまた、創造性を促し、変化に対応し、境界を越えて理解し合い、アイディアを実行することにもさらに熟達しなければならない。直観と判断力、寛容と倫理的責任感、さまざまな関心や異文化に対する感受性が求められているのだ。新たなアイディアについて考える能力、アイディアに手を加え、それを試し、試作品を作っていろいろと検討する能力、そして予行演習し、アイディアを実装あるいは実行することによりあれこれと考える能力は、バランスがとれていなければならない。猜疑心と批判能力によって現実のありようを疑うことを理解し、望む姿を言葉にして表現するために、自らの能力を引き立たせなければならない。私たちは、エジソンの研究室で働いていた人びとが経験したやりがいを求めるべきなのだ、とはいえ、これは願わくば長時間労働や死体再生法の恐怖を除いてのことだが。実際のところ、富は私たちの知識から創りだされるのだから、私たちの生き方、家族、状況や選択肢とうまく合うような、多様性に通ずる充実した職場での職業満足を期待するものだ。今日、スター選手や芸能人を称賛するように、これほど多くに寄与してくれる発明家やイノベータたち、つまり世界中のステファニー・クオレクたちが、確実に認められるようにしなければならない。

イノベーションはとどまることを知らないプロセスであるため、その成否にも常に不確実性がつきまとう。イノベーションは、脅威にもなりうるし価値あるものともなりうる。イノベーションに対してどれほどうまく対処できるかは、新しい物事に対する受容性や協力の精神がどの程度、私たちにあるか、リスクを受け入れ、独特なものの存在を認め、異なる考え方を持つ他者と働く準備がどれほどできているかによって決まる。これには組織の文化とリーダーの質が影響するが、リーダーとは、職業の安定と失敗に対する寛容さがイノベーションには非常に重要であり、すべての答えを持っている者などおらず、進歩とは協力から生まれ、名声は控え目な主張と成果を届けるにあたってのプロ意識のなかにある点を、理解している人のことだ。

イノベーションの成果が常に有益であるとはかぎらず、その影響を予言することは多くの場合、不可能だ。ガソリンに鉛を追加することによりエンジンのノッキング問題は解決したが、環境に対する壊滅的な遺産を作りだした。サリドマイドは妊娠中の母親たちのつわりを減らしたが、赤ん坊に障がいを誘発した。行動と結果を分けて考えると危険であることが明らかになったのは二〇〇八〜二〇〇九年の世界金融危機においてだが、ここではチェック・アンド・バランスも影響の検討もまったくなされないまま、金融イノベーションが導入された。イノベーションの導入を進める人びとは、そのもたらす影響を最優先の関心事とするべきであり、そして新技術の設計者が優先すべきは人間にとって意味のある仕事を増やす方法であって、これを置き換えることではないのだ。

個人に関する膨大な量のデータが第三者、企業、そして国家に入手できることも、イノベーションの設計や管理に携わる人びとの責任を大きくしている。情報の利用や遺伝学のような分野におけるイノベーションには、倫理に関する深い考察、高度に明確化され説明可能な慣行、そして機敏で迅速に対応できる規制が求められる。シミュレーション、モデリング、そして仮想化の技術はイノベーション・プロセスの向上にとって大きな機会を提供するが、それらの技術を責任あるかたちで利用するには、専門的な職業や技能職として理論や技に没頭している人びとのスキルと判断に頼ることになる。イノベーションは人びとに、知識を持ち、用心深く、そして責任ある従業員、顧客、供給者、協力者、市民であることを求める。インテルの創立者であるアンドルー・グローブ〔三代目の最高経営責任者〕は、この不確実な世界を生き延びるのは異常なほど心配性な者だけだが、その人物は疑り深いとか恐怖心に満ちているのではなく、明敏で知識を持ち、最後まで私たちを助けてくれる者だろうと語った。イマヌエル・カントは、科学とは系統立った知識であり、知恵とは整然とした人生だと述べた。イノベーションの未来は知識の賢明な組織化にあり、そこではイノベーションから恩恵がつぎつぎと生まれ、その悪影響は縮小するのだろう。

訳者あとがき

マーク・ドジソンとデビッド・ガンによる『イノベーション』(第二版、オックスフォード大学出版局、二〇一八年)の翻訳版をお届けします。本書でも触れられているように、イノベーションに関する研究は経済学、経営学、社会学、技術経営論、公共政策論など異なる学術領域でおこなわれており、全体を俯瞰した書籍が見つけづらい状況にあります。そのような本がないものかと考えていたちょうどそのとき、今回の翻訳のお話を頂戴し、お引き受けしました。原著が収められているオックスフォード大学出版局の"A Very Short Introduction"シリーズの何冊かを見ており、執筆陣や内容の質の高さを信頼していたこと、そして訳者自身がイノベーションの全体像を何らかのかたちで終始一貫、眺めてみたかったためです。本書はその期待以上の内容であり、翻訳の作業は苦しくも楽しいものとなりました。

本書は、産業革命のころからイノベーションがどのように形づくられてきたかについて説明していますが、イノベーション史の本ではありません。それらは逆に、二一世紀の今日もおこなわれているイノベーションの本質を起業家、発明家、研究者、企業や研究所といった組織とその成員、政策や法律などの制度、消費者意識などの社会、そしてグローバル経済それぞれの関係から描きだす事例となっています。またイノベーション研究者による書籍にふさわしく、イノベーションの定義やイノベーションを理解するために用いられる理論、モデルについても説明されています。最終章では、これまで発展を遂げてきたイノベーションそのものが将来、どのようになっていくのか、どのように私たちに影響するのかについて、筆者たちのこれまでの研究と理解をもとに述べられています。イノベーションのこれまでとこれからの姿を見つめつつ、時間軸にとらわれない共通項とその変遷を、まさに手短にまとめたのが本書といえるのかもしれません。

第二版は二〇一八年に出版されましたが、それ以降、デジタル経済や中国の研究開発は大きく進展しました。事例となっている企業や製品・サービスのなかにも、その評価が変わったものがあります。人工知能にいたっては技術的な知識がなくても使用できる対話型モデルが登場し、「仕事の未来」のみならず、人間の創造性や技術開発の意義そのものが問われる事態になっています。本書が論じるように、デジタル技術を含むイノベーションによってイノベーション自体がその速度を増し、経済、社会、そして個々人に対する影響もますます大きくなっている今だからこそ、イノベーションとは何か、どうやって起こるのか、何を意味するのか、理解する必要性も大きくなっているのでしょう。この翻訳版をお手に取っていただいた方々に、イノベーションについて発見あるいは納得していただけるものがわずかでもあれば、これに勝る喜びはありません。

最後に、今回の翻訳をお声がけ下さり、翻訳、推敲、編集の各段階にて大変お世話になったフリーの編集者である勝康裕さん、翻訳版の編集、出版に際してお世話になりました白水社編集部の竹園公一朗さんに、心から御礼申し上げます。いうまでもなく、翻訳版の誤りはすべて訳者に帰することを申し添えます。

二〇二三年五月

訳　者

索　引

［ア　行］
アイディオ（IDEO）　127–128
IBM 社（IBM Corporation）　68–72, 89–90
AIBO（ソニーのロボット犬）　86
アグロウ，ジェニー（Uglow, Jenny）　22–23
アジアの各国政府　108–109
アッターバック，ジェームズ（Utterback, James）　44
アップル（Apple Inc.）　62, 89–90
アバナシー，ウィリアム（Abernathy, William）　44
アマゾン（Amazon.com, Inc.）　138–139
アリババ（Alibaba）　140
アルファベット　133–134
イノベーション
　課題　35–38, 40–42
　重要性　33–35
　定義　29–32
　負の結末／マイナス面　57–62, 64–65, 173–174, 182–183
　未来／将来　157–183
　モデル　42–47, 76
　理論　47–49
イノベーションが人びとに与える影響　180–183
イノベーション技術（IvT）　153–156, 170–171
イノベーション・システム　105–109
イノベーションの課題　35–38, 40–42　⇒「イノベーションの負の結末／マイナス」もみよ
イノベーションの関係者／提供者／貢献／提供／主体　73–79, 83–86, 87–109
イノベーションの「供給サイド」　168–169
イノベーションの源泉　73–77
イノベーションの重要性　33–35
イノベーションの絶え間ない探求　67–72
イノベーションの負の結末／マイナス　57–62, 64–65, 173–174, 182　⇒「イノベーションの課題」もみよ
イノベーションのモデル　42–47, 76
イノベーションの理論　47–49
移民　100
医療におけるイノベーション　84–85
インテル（Intel Corporation）　130–131
インド　132, 164, 172
ウィキペディア（Wikipedia）　141–142
ウィルソン，ハロルド（Wilson, Harold）　101
ウェッジウッド，ジョサイア（Wedgwood, Josiah）　15–28, 75, 112
ウッドワード，ジョアン（Woodward, Joan）　152
運用　134–135, 138–140
エイケン，ハワード（Aiken, Howard）

69
英国空港運営公団（British Airport Authority: BAA） 142–143
エカテリーナ（ロシアの女帝）（Catherine the Great） 24
エジソン，トーマス（Edison, Thomas） 36, 64–65, 75–76, 93–94, 111–126, 135–136, 140–141, 152–153
エトルリア工場（Etruria factory） 20–21, 26
エリクソン（Telefonaktiebolaget LM Ericsson） 132
王立協会（英国）（Royal Society） 20
尾崎立子 52–53
オースティン，ジェーン（Austen, Jane） 24
オーストラリア 164
オープンソース・ソフトウェア 86
オンライン小売業 138–140

［カ 行］
カー，クラーク（Kerr, Clark） 90–91
「科学プッシュ」モデル（science push model） 42–43
学習 62–64
ガースナー，ルー（Gerstner, Lou） 71–72, 159–160
「カップリング」モデル（coupling model） 43–45
韓国 107
カント，イマヌエル（Kant, Immanuel） 183
幹部たち 147–149
管理職 148–149
企業 158–162
起業家 75–77
機構 162–168
技術 152–156
既存の状況に対する脅威 35–38, 41
機体の設計 61
規模の経済性 20
教育 91–92
供給者 87–88, 106
競争 41
協力，協働 18, 22–23, 86–90, 140–142
　組織と大学間における—— 95–96, 129–130
「協力」モデル（collaborative model） 45–46
銀行サービスへの携帯電話の活用 171–172
銀行と携帯電話技術 171–172
クイーンズ・ウェア（Queen’s Ware） 17–18, 23
クオレク，ステファニー（Kwolek, Stephanie） 79–84
グーグル（Google LLC） 76, 133–134
クラーク，グラエム（Clark, Professor Graeme） 85
グラッドストン，ウィリアム（Gladstone, William） 16, 18–19, 28
グラフェン 83–84
クリステンセン，クレイトン（Christensen, Clayton） 87
クリック，フランシス（Crick, Francis） 94
グローブ，アンドルー（Grove, Andrew） 183
経済協力開発機構（Organisation for Economic Co-operation and Development: OECD） 78–79
経済成長 38
ゲイツ，ビル（Gates, Bill） 75–76
ケネディ，ジョン・F（Kennedy, John F.） 101
ケブラー（Kevlar） 79–84
研究 61
　異なるアプローチ 114–116

大学　92–96, 166–168
研究開発（R&D）　67–70, 77–79, 83–84, 101–103, 129–132
研究所　42–43, 129–130
トーマス・エジソンの――　116–126, 128–130
健康増進のためのイノベーション　164–165
原料の（グローバル・）ソーシング　21
公共部門にとってのイノベーションの重要性　33–34
公的医療におけるイノベーション　164
顧客　106
イノベーションの阻害者としての――　87–88
イノベーションへの寄与者としての――　84–86
見慣れないものに対する姿勢　115–116
国際市場　24–25
国際的な調整　162–164
国勢調査局（米国）　68
『国富論』（スミス）　38–39
コクレア社（Cochlear Ltd.）　84–85
コミュニティ　141
「固有 ID」プロジェクト　172
雇用　64–65, 173–174, 179
コンコルド（Concorde）　62

[サ　行]

サリバン，コリン（Sullivan, Professor Colin）　84–85
産業革命　23–24
ジェネンテック（Genentech Inc.）　77, 95
支援　24
時間尺度　49–52
支出（研究開発の）　78–79
市場における需要／市場の需要　168–169, 171
市場の失敗　102
システム/ 360（System/360）　69–70
システムとしての失敗　103
慈善団体（にとってのイノベーションの重要性）　33–34
実験　17–18
失敗　58–62
エジソンの主張　113
自動化　40, 64, 135, 173–181
自動車産業　54, 87, 135–137
日本の自動車製造業　44–46
無人自動車　173–174
資本主義　39, 48
『資本論』（マルクス）　39
ジャスパー（Jasper pottery）　17–18
ジュウィット，ルウェリン（Jewitt, Llewellyn）　18
収益性　66–67
習近平　101, 108–109
「需要プル」モデル（demand-pull model）　43
シュンペーター，ヨーゼフ（Schumpeter, Joseph）　33–34, 41–42, 48–49, 64, 74–75, 76, 173–174
蒸気，蒸気動力　19
小規模組織　161
上層部　147–148
消費　168–169
消費者主導の要因　52–54
職場　126–128
職場における健康と安全　21
ジョセフソン，マシュー（エジソンの伝記の著者）（Josephson, Matthew）　117, 120
シリコン・バレー（Silicon Valley）　97–98

進化経済学　48–49
人工知能（AI）　174–178
人的資本／人材　40–41
睡眠時無呼吸　85
スカンクワーク　134
ステージゲート法　133
ストーカー，ジョージ（Stalker, George）　28–29
ストークス，ドナルド（Stokes, Donald）　93–94
スマイルズ，サミュエル（Smiles, Samuel）　26
スミス，アダム（Smith, Adam）　20, 38–39, 64, 135
3M（3M Company）　133, 148, 149–150
生産性　65–66
製造工程（プロセス）　38–40, 134–137
製造法　20–21
製品とサービスの開発　133
政府　99–109, 162–166
製薬業　51
ゼネラル・エレクトリック社（General Electric Company）　76
ゼネラル・モーターズ（General Motors Company）　135–136
セマテック（Sematech）　101–102
宣伝　24–25
専門化　135
「戦略的統合とネットワーキング」モデル（strategic integration and networking model）　46–47
送電法（交流対直流）　113
ソーク，ジョナス（Salk, Dr Jonas）　95
組織の体制　128–146
　組織体制の決定に技術が果たす役割　152–156
ソニー株式会社　86
ソニーのウォークマン（Walkman）　53
ソフトウェア会社　86

［タ　行］
大学　74, 90–96, 166–168
　大学との協働　95–96, 130–131
大学における科学と研究　92–96
大規模プロジェクト　142–144
第 5 世代コンピュータの開発計画　45–46
ダイナミック・ケイパビリティ理論（dynamic capabilities theory）　48–49
大量生産　44–46
タビュレーティング・マシン社（Tabulating Machine Company）　68
多要素生産性（MFP）　66
地域　96–98
蓄音機　118
知識（の）交換　90–92
知的財産（権）　22–23, 66–67, 113–114
チーム　144–146
チームにおける創造性　144–146
中国　108–109
　研究開発　132
　製陶　16–17
中小企業技術革新プログラム（SBIR）　88
調査　73
地理的な地域　96–98
DNA　94, 95
テスラ，ニコラ（Tesla, Nikola）　114, 119, 122
デ・ハビランド・コメット（航空機）（de Havilland Comet aircraft）　61
デービー，ハンフリー（Davy, Humphry）　61
デュポン社（DuPont de Nemours, Inc.）

51, 80–84
電気自動車　35–36
電球（の開発）　115
陶器産業／製陶業界／製陶業　16–27
都市　97–98
特許，パテント（・マニュアル）　79, 95, 113–114
トヨタ自動車　87, 136–137
トヨタのプリウス（Prius）　53–54

［ナ　行］
中抜き　161–162
日本　44–46, 105–106, 135–137
日本電装　87
ネイダー，ラルフ（Nader, Ralph）　43
ネットワーキング　140–141

［ハ　行］
バウンダリースパナー　149
ハーガドン，アンドリュー（Hargadon, Andrew）　121–122, 124
ハサビス，デミス（Hassabis, Demis）　175
パスツール，ルイ（Pasteur, Louis）　51, 93–94
パートナーシップ　141
バーンズ，トム（Burns, Tom）　28–29
非公式の自主的活動　133
非政府組織にとってのイノベーションの重要性　33–34
ピンを製造する　38–39
ファストフォロワー　51–52
フェイスブック社（Facebook, Inc.）　51
フォード，ヘンリー（Ford, Henry）　44–45, 61, 112, 135–136, 148
フォード，マーティン（Ford, Martin）　177
普及　52–55
ブッシュ，バネバー（Bush, Vannevar）　42–43
「フラスカティ・マニュアル」（*Frascati Manual*）　79, 92–93
フラックスマン，ジョン（Flaxman, John）　18
フリーダムタワー（ニューヨーク）（Freedom Tower）　155–156
フリーマン，クリストファー（Freeman, Christopher）　40
ブリン，セルゲイ（Brin, Sergey）　75–76
プロクター・アンド・ギャンブル（Procter and Gamble）　131
プロジェクト SAPPHO　44
ブロックチェーン　179
分業制／分業　20–21, 38–39, 135
ペイジ，ラリー（Page, Larry）　75–76
ヘイズ，ラザフォード（Hayes, Rutherford）　112
ペイン，トマス（Paine, Thomas）　112
ベキ分布　61
ベータマックス　61–62
ペリッツ，カーロータ（Perez, Carlota）　40
ベル研究所（Bell Labs）　129–130
ベンチャー・キャピタリスト　76–77
ベントレー，トーマス（Bentley, Thomas）　24, 25
ボーア，ニールス（Bohr, Niels）　93–94
ボーイング社（Boeing Company）　85–86, 87
包摂性　171–172
ポストイット・ノート／ポストイット（Post-It Notes）　149–150
ボッシュ，ロバート（Bosch, Robert）　87
ボーモル，ウィリアム（Baumol,

William） 38
ポリマー，重合体 79–84
ポーリング，ライナス（Pauling, Linus） 74
ボールトン，マシュー（Boulton, Matthew） 21–22, 75–76
ホレリス，ハーマン（Hollerith, Herman） 68, 71

［マ 行］
マー，ジャック（Ma, Jack） 140
マイクロソフト社（Microsoft Corporation） 51–52, 76
マキャベッリ，ニッコロ（Machiavelli, Niccolò） 147
マーケティング 24–25
マーシャル，アルフレッド（Marshall, Alfred） 40–41
マックナイト，ウィリアム（McKnight, William） 148
マネジメント 148–149
マルクス，カール（Marx, Karl） 39–40, 64, 176
未来のイノベーション 157–183
ミレニアム・ブリッジ（ロンドン）（Millennium Bridge） 59–61
民間部門にとってのイノベーションの重要性 33–34
メンロパーク（Menlo Park） 116, 129–130

［ラ 行］
リスク 58–59
リスク管理 160–161
リスト，フリードリッヒ（List, Friedrich） 40–41
リーン生産（方式） 44–45, 136–137
ルナー・メン（Lunar Men） 22
レスメド社（ResMed Inc.） 85
労働条件 21, 26, 148–152
ロジャース，エベレット（Rogers, Everett） 52–53
ロスウェル，ロイ（Rothwell, Roy） 46, 87
ロボット 177–178
ロールス・ロイス社（Rolls Royce Ltd.） 87, 130–131
ロンドン・ヒースロー空港（London Heathrow Airport） 142–144

［ワ 行］
ワット，ジェームズ（Watt, James） 76
ワトソン，トーマス（Watson, Thomas） 68–69
ワトソン・ジュニア，トーマス（トム）（Watson, Thomas Jr） 69–70
ワトソン，ジェームズ（Watson, James） 94

参考文献

W. Abernathy and J. Utterback（1978）. 'Patterns of Industrial Innovation', *Technology Review* 80（7）: 40–7.

N. Baldwin, *Edison: Inventing the Century*（New York: Hyperion Books, 1995）〔ニール・ボールドウィン／椿正晴訳『エジソン――20世紀を発明した男』三田出版会，1997年〕.

W. Baumol, *The Free-Market Innovation Machine: Analyzing the Growth Miracle of Capitalism*（Princeton, NJ: Princeton University Press, 2002）〔ウィリアム・J・ボーモル／中村保・足立英之訳『自由市場とイノベーション――資本主義の成長の奇跡』勁草書房，2010年〕.

M. Boden, *The Creative Mind: Myths and Mechanisms*, 2nd edn（London: Routledge, 2004）.

E. Brynjolfsson, and A. McAfee, *The Race Against the Machine*（London: Digital Frontier Press, 2011）〔エリック・ブリニョルフソン，アンドリュー・マカフィー著／村井章子訳『機械との競争』日経BP社，2013年〕.

T. Burns and G. Stalker, *The Management of Innovation*（London: Tavistock Publications, 1961）.

H. Chesbrough, *Open Innovation: The New Imperative for Creating and Profiting from Technology*（Cambridge, MA: Harvard Business School Press, 2003）〔ヘンリー・チェスブロウ／大前恵一朗訳『Open innovation――ハーバード流イノベーション戦略のすべて』産業能率大学出版部，2004年〕.

C. M. Christensen, *The Innovator's Dilemma: When New Technologies Cause Great Firms to Fail*（Boston, MA: Harvard Business School Press, 1997）〔クレイトン・クリステンセン／伊豆原弓訳『イノベーションのジレンマ――技術革新が巨大企業を滅ぼすとき』増補改訂版，翔泳社，2001年〕.

L. Dahlander and D. Gann（2010）, 'How Open is Innovation', *Research Policy* 39（6）: 699–709.

A. Davies, D. Gann, and T. Douglas（2009）, 'Innovation in Megaprojects: Systems Integration in Heathrow Terminal 5', *California Management Review* 51（2）: 101–25.

M. Dodgson, D. Gann, S. MacAulay, and A. Davies（2015）, 'Innovation Strategy in New Transportation Systems: The Case of Crossrail', *Transportation Research Part A: Policy and Practice* 77: 261–75.

M. Dodgson, D. Gann, and A. Salter (2006), 'The Role of Technology in the Shift Towards Open Innovation: The Case of Procter & Gamble', *R&D Management* 36 (3): 333–46.

M. Dodgson, D. Gann, and A. Salter (2007), ' "In Case of Fire, Please Use the Elevator": Simulation Technology and Organization in Fire Engineering', *Organization Science* 18 (5): 849–64.

M. Dodgson, D. Gann, I. Wladawsky-Berger, N. Sultan, and G. George (2015), 'Managing Digital Money', *Academy of Management Journal* (Editor's Invited Article) 58 (2): 325–33.

M. Dodgson and L. Xue (2009), 'Innovation in China', *Innovation: Management, Policy and Practice* 11 (1): 2–6.

Executive Office of the President, *Artificial Intelligence, Automation, and the Economy* (Washington, DC: Executive Office of the President, 2016).

G. Fairtlough, *Creative Compartments: A Design for Future Organization* (London: Adamantine Press, 1994).

M. Ford, *Rise of the Robots: Technology and the Threat of a Jobless Future* (London: Basic Books, 2015)〔マーティン・フォード／松本剛史訳『ロボットの脅威——人の仕事がなくなる日』日本経済新聞出版社，2018 年〕.

C. Freeman and C. Perez, 'Structural Crises of Adjustment: Business Cycles and Investment Behaviour', in G. Dosi, C. Freeman, R. Nelson, G. Silverberg, and L. Soete (eds), *Technical Change and Economic Theory* (London: Pinter, 1988).

L. Gerstner, *Who Says Elephants Can't Dance: Inside IBM's Historic Turnaround* (New York: Harper Business, 2002)〔ルイス・ガースナー／山岡洋一・高遠裕子訳『巨象も踊る』日本経済新聞社，2002 年〕.

A. B. Hargadon, *How Breakthroughs Happen: The Surprising Truth about How Companies Innovate* (Cambridge, MA: Harvard Business School Press, 2003).

C. Helfat, S. Finkelstein, W. Mitchell, M. Peteraf, H. Singh, D. Teece, and S. Winter, *Dynamic Capabilities: Understanding Strategic Change in Organizations* (Malden, MA: Blackwell, 2007)〔C・ヘルファットほか著／谷口和弘・蜂巣旭・川西章弘訳『ダイナミック・ケイパビリティ——組織の戦略変化』勁草書房，2010 年〕.

R. Henderson and K. B. Clark (1990), 'Architectural Innovation: The Reconfiguration of Existing Product Technologies and the Failure of Established Firms', *Administrative Science Quarterly* 35 (1): 9–30.

C. Kerr, *The Uses of the University* (Cambridge, MA: Harvard University Press, 1963)〔クラーク・カー／茅誠司監訳『大学の効用』東京大学出版会，1966 年〕.

R. K. Lester, *The Productive Edge* (New York: W. W. Norton & Co., 1998)〔リチャード・K・レスター／田辺孝二・西村隆夫・藤末健三訳『競争力——「Made in America」10 年の検証と新たな課題』生産性出版，2000 年〕.

B. A. Lundvall (ed.), *National Innovation Systems: Towards a Theory of Innovation and Interactive Learning* (London: Pinter, 1992).

F. Malerba, *Sectoral Systems of Innovation: Concepts, Issues and Analyses of Six Major Sectors in Europe* (Cambridge: Cambridge University Press, 2004).

K. Marx, *Capital*, vol. 1 (Harmondsworth: Pelican, 1981)〔カール・マルクス／大内兵衛・細川嘉六監訳『資本論』マルクス＝エンゲルス全集，第23a-25b巻，大月書店，1965-1967年〕.

A. Millard, *Edison and the Business of Innovation* (Baltimore, MD: Johns Hopkins University Press, 1990)〔アンドレ・ミラード／橋本毅彦訳『エジソン発明会社の没落』朝日新聞社，1998年〕.

R. Nelson and S. Winter, *An Evolutionary Theory of Economic Change* (Cambridge, MA: Belknap Press, 1982)〔リチャード・R・ネルソン，シドニー・G・ウィンター著／後藤晃・角南篤・田中辰雄訳『経済変動の進化理論』慶應義塾大学出版会，2007年〕.

R. Nelson (ed.), *National Innovation Systems: A Comparative Analysis* (New York: Oxford University Press, 1993).

D. F. Noble, *Forces of Production: A Social History of Industrial Automation* (New York: Oxford University Press, 1986).

C. Paine, *Who Killed the Electric Car?* (Documentary film) (California: Papercut Films, 2006)〔クリス・ペイン監督『誰が電気自動車を殺したか?』ソニー・ピクチャーズ エンタテインメント，2008年〕.

R. Parmar, I. Mackenzie, D. Cohn, and D. Gann (2014), 'The New Patterns of Innovation', *Harvard Business Review* 92 (1–2): 86–95〔ラシク・パーマー，イアン・マッケンジー，デイビッド・コーン，デイビッド・ガン著／有賀裕子訳「新たな価値創造の方法　デジタルが生み出す5つのビジネスモデル」『DIAMOND ハーバード・ビジネス・レビュー』4月号，ダイヤモンド社，2014年3月〕.

J. Quinn (2003), 'Interview with Stephanie Kwolek', *American Heritage of Invention and Technology* 18 (3) 〈http://www.americanheritage.com〉.

E. M. Rogers, *Diffusion of Innovations*, 4th edn (New York: The Free Press, 1995)〔2003年の原著第5版からの邦訳は，エベレット・ロジャーズ／三藤利雄訳『イノベーションの普及』翔泳社，2007年〕.

R. Rothwell, C. Freeman, A. Horley, V. Jervis, Z. Robertson, and J. Townsend (1974), 'SAPPHO Updated–Project SAPPHO, Phase II', *Research Policy* 3: 258–91.

Royal Society, *Hidden Wealth: The Contribution of Science to Service Innovation* (London: Royal Society, 2009).

Royal Society of Arts, *Good Work: The Taylor Review of Modern Working Practices* (London: Royal Society of Arts, 2017).

K. Sabbagh, *Twenty-First-Century Jet: The Making and Marketing of the Boeing 777*

(New York: Scribner, 1996).

J. A. Schumpeter, *The Theory of Economic Development: An Inquiry into Profits, Capital, Credit, Interest and the Business Cycle* (Cambridge, MA: Harvard University Press, 1934)〔ヨーゼフ・A・シュンペーター／八木紀一郎・荒木詳二訳『シュンペーター経済発展の理論（初版）』日経 BP 日本経済新聞出版本部，2020 年〕.

J. A. Schumpeter, *Capitalism, Socialism and Democracy* (London: George Allen & Unwin, 1942)〔ヨーゼフ・A・シュムペーター／中山伊知郎・東畑精一訳『資本主義・社会主義・民主主義』新装版，東洋経済新報社，1995 年〕.

S. Smiles, *Josiah Wedgwood: His Personal History* (London: Read Books, 1894).

A. Smith, *An Inquiry into the Nature and Causes of the Wealth of Nations* (London: Ward, Lock and Tyler, 1812)〔アダム・スミス／水田洋監訳，杉山忠平訳『国富論』全 4 冊，岩波文庫，2000–2001 年〕.

D. Stokes, *Pasteur's Quadrant: Basic Science and Technological Innovation* (Washington, DC: Brookings Institution Press, 1997).

D. J. Teece (1986), 'Profiting from Technological Innovation: Implications for Integration, Collaboration, Licensing and Public Policy', *Research Policy* 15 (6): 285–305.

J. Uglow, *The Lunar Men: Five Friends Whose Curiosity Changed the World* (New York: Farrar, Straus and Giroux, 2002).

J. M. Utterback, *Mastering the Dynamics of Innovation: How Companies Can Seize Opportunities in the Face of Technological Change* (Boston, MA: Harvard Business School Press, 1994)〔ジェームズ・M・アッターバック／大津正和・小川進監訳『イノベーション・ダイナミクス——事例から学ぶ技術戦略』有斐閣，1998 年〕.

J. Womack, D. Jones, and D. Roos, *The Machine that Changed the World: The Story of Lean Production* (New York: Harper, 1991)〔ジェームズ・P・ウォマック，ダニエル・T・ジョーンズ，ダニエル・ルース著／沢田博訳『リーン生産方式が，世界の自動車産業をこう変える。——最強の日本車メーカーを欧米が追い越す日』経済界，1990 年〕.

J. Woodward, *Industrial Organization: Theory and Practice* (London: Oxford University Press, 1965)〔ジョン・ウッドワード／矢島鈞次・中村寿雄共訳『新しい企業組織——原点回帰の経営学』日本能率協会，1970 年〕.

文献案内

ジョサイア・ウェッジウッドについて

M. Dodgson（2011）, 'Exploring New Combinations in Innovation and Entrepreneurship: Social Networks, Schumpeter, and the Case of Josiah Wedgwood（1730–1795）', *Industrial and Corporate Change* 20（4）: 1119–51.

ヨーゼフ・シュンペーターについて

T. McGraw, *Prophet of Innovation: Joseph Schumpeter and Creative Destruction*（Cambridge, MA: Harvard University Press, 2007）〔トーマス・K・マクロウ／八木紀一郎監訳，田村勝省訳『シュンペーター伝――革新による経済発展の預言者の生涯』一灯舎，2010年〕.

イノベーションのプロセスと，それが組織化，管理，変更される方法について

M. Dodgson, D. Gann, and A. Salter, *Think, Play, Do: Technology, Innovation and Organization*（Oxford: Oxford University Press, 2005）〔マーク・ドジソン，デイビッド・ガン，アモン・ソルター著／太田進一監訳，企業政策研究会訳『ニュー・イノベーション・プロセス――技術，革新，組織』晃洋書房，2008年〕.

M. Dodgson, D. Gann, and A. Salter, *The Management of Technological Innovation: Strategy and Practice*（Oxford: Oxford University Press, 2008）.

M. Dodgson, D. Gann, and N. Phillips（eds）, *The Oxford Handbook of Innovation Management*（Oxford: Oxford University Press, 2014）.

M. Dodgson（ed.）, *Innovation Management: Critical Perspectives on Business and Management*. Volume 1: *Foundations*; Volume 2: *Concepts and Frameworks*; Volume 3: *Important Empirical Studies*; Volume 4: *Current and Emerging Themes*（London: Routledge, 2016）.

イノベーションの経済学について

J. Fagerberg, D. Mowery, and R. Nelson（eds）, *The Oxford Handbook of Innovation*（Oxford: Oxford University Press, 2005）.

J. Foster and J. S. Metcalfe（eds）, *Frontiers of Evolutionary Economics*（Cheltenham: Edward Elgar, 2003）.

イノベーションの歴史について

D. Edgerton, *Shock of the Old: Technology and Global History Since 1900*（London: Profile Books, 2006）.

N. Rosenberg, *Inside the Black Box: Technology and Economics*（Cambridge: Cambridge University Press, 1982）.

イノベーション戦略について

M. Schilling, *Strategic Management of Technological Innovation*（New York: McGraw-Hill/Irwin, 2005）.

起業家精神について

G. George and A. Bock, *Inventing Entrepreneurs: Technology Innovators and their Entrepreneurial Journey*（London: Prentice Hall, 2009）.

人工知能の影響について

PwC（n.d.）, 'Sizing the Prize', 〈www.pwc.com/gx/en/issues/data-and-analytics/publications/artificial-intelligence-study.html〉（last accessed 10 August 2017）.

国際的な研究開発とイノベーションの実績に関するデータについて

National Science Foundation, 'Science and Engineering Statistics' 〈www.nsf.gov/statistics〉.

Organisation for Economic Co-operation and Development（OECD）, 'Science, Technology and Patents', Statistics Portal: 〈www.oecd.org〉.

図版出典

1. Josiah Wedgwood（ジョサイア・ウェッジウッド）
Hulton Archive / Getty Images.
2. Joseph Schumpeter（ヨーゼフ・シュンペーター）
Bettmann / Corbis / Getty Images.
3. The Millennium Bridge（ミレニアム・ブリッジ）
UPP / Topfoto.co.uk.
4. The IBM system（IBM システム）
Courtesy of International Business Machines Corporation, ©（1964）
International Business Machines Corporation.
5. Stephanie Kwolek（ステファニー・クオレク）
Photo © Michael Branscom.
6. Pasteur's Quadrant（パスツールの象限）
From D. Stokes, Pasteur's Quadrant（Washington, DC: 1997）. Courtesy of Brookings Institution Press.
All rights reserved.
7. Edison encouraged play as well as hard work（エジソンは勤勉とともに遊びも奨励した）
Courtesy of US Department of the Interior, National Park Service, Edison National Historic Site.
8. 'Put out the light' cartoon（漫画「消灯せよ」）
Courtesy of the Library of Congress.
9. Touchlight
Courtesy of EON Reality, Inc.
10. Some challenges of innovation may always be with us（イノベーションにはいくつかの難題が常につきまとう）
A. Bacall / Cartoonstock.com.

上記リスト中の誤りや漏れについては，出版社および著者からお詫び申し上げます。ご連絡を頂けましたら，可能な限り早い機会に修正いたします。

*

著訳者紹介

著　者

マーク・ドジソン（Mark Dodgson）
1957年生まれ。現在，クイーンズランド大学ビジネス・スクール名誉教授，インペリアル・カレッジ・ビジネス・スクール客員教授，他大学でも要職を務める。執筆当時はクイーンズランド大学イノベーション・スタディーズ教授。50を超える論文や編著の章を執筆し，7冊の書籍を出版している。技術やイノベーションに関する企業戦略や政府の政策が研究上の関心領域である。

デビッド・ガン（David Gann CBE）
1960年生まれ。現在，オックスフォード大学副学長代理，同大サイード・ビジネス・スクール教授。執筆当時はインペリアル・カレッジ・ロンドン教授および副学長（イノベーション担当）。設計，製造，エンジニアリング，建設分野において，企業とさまざまな共同研究をおこなっている。

原著者2人を含む書籍の邦訳に，M・ドジソン，D・ガン，A・ソルター著／企業政策研究会訳『ニュー・イノベーション・プロセス——技術，革新，組織』（晃洋書房，2008年），また最新の共著に，Mark Dodgson and David Gann, *The Playful Entrepreneur: How to Adapt and Thrive in Uncertain Times*（New Haven: Yale University Press, 2018），2人を含む編著に，Mark Dodgson, David M. Gann, and Nelson Phillips eds., *The Oxford Handbook of Innovation Management*（Oxford: Oxford University Press, 2014）などがある。

訳　者

島添 順子（しまぞえ じゅんこ）
1966年生まれ。米国ノースカロライナ大学博士，マサチューセッツ工科大学修士，コロンビア大学修士。政府系の研究開発法人，研究所にて主に国際プロジェクトに従事。Academy of Management，Sigma Xi The Scientific Research Honor Society 会員。独立行政法人日本貿易振興機構アジア経済研究所勤務。国際基督教大学，法政大学で非常勤講師も務める。

イノベーション
世界を変える発想を創りだす

二〇二三年 六 月一五日 印刷
二〇二三年 七 月一〇日 発行

著者 マーク・ドジソン
デビッド・ガン
訳者 © 島添順子
編集 勝康裕
発行者 岩堀雅己
印刷所 株式会社 理想社
発行所 株式会社 白水社

東京都千代田区神田小川町三の二四
電話 営業部〇三（三二九一）七八一一
編集部〇三（三二九一）七八二一
振替 〇〇一九〇・五・三三二二八
郵便番号 一〇一・〇〇五二
www.hakusuisha.co.jp
乱丁・落丁本は、送料小社負担にてお取り替えいたします。

誠製本株式会社

ISBN978-4-560-09357-3
Printed in Japan

ポピュリズム　デモクラシーの友と敵

カス・ミュデ、クリストバル・ロビラ・カルトワッセル 著／永井大輔、髙山裕二 訳

移民排斥運動からラディカルデモクラシーまで、現代デモクラシーの基本条件としてポピュリズムを分析した記念碑的著作。

権威主義　独裁政治の歴史と変貌

エリカ・フランツ 著／上谷直克、今井宏平、中井遼 訳

デモクラシーの後退とともに隆盛する権威主義——その〈誘惑〉にいかにして備えればいいのか？　不可解な隣人の素顔がここに！

市民的抵抗　非暴力が社会を変える

エリカ・チェノウェス 著／小林綾子 訳

三・五％が動けば社会は変わる！　暴力より非暴力の方が革命は成功する！　世界中で話題をさらったハーバード大教授による現代革命論。斎藤幸平さん推薦！

福祉国家　救貧法の時代からポスト工業社会へ

デイヴィッド・ガーランド 著／小田透 訳

エスピン＝アンデルセン激賞！「他に類を見ない重量級の小著であり、福祉国家に関心を持つすべての人にとっての決定的入門書」